SHORASHIM KEY

חסר	סגר	שיר	ספר	פגש	שמר
רחצ	רדפ	ירד	פחד	יצא	אמר
אספ	מצא	רפא	פתח	צחק	מחק
קרא	קצר	קשר	רוצ	קום	סור
שקט	מטר	חטא	שפט	מכר	עמד
כעס	שמע	קרע	צעק	ידע	עזר
זרק	אחז	הפכ	אפה	שתה	רצה
צוה	רמה	כסה	הכה	הרג	ראה

נשק
נסע
ענה
זקנ
ישנ
נתנ
תקנ
למד
גדל
אכל
לקח
הצל
נפל
ילד
שלח
מלא
עלה
דלק
גלל
שאל
הלכ
לחמ
חלמ
מלכ
גבר
דבר
ברח
בוא
בשל
רכב
חבק
בוש
אהב
בכה
בחר
ישב
עזב
כתב
חשב
עבד
סבב
לבש
שבר
שאב
בנה
עבר
שכב
ברכ
נשא
שמח
עשה
שימ

For more information or for orders please write:

KriahSolutions@Gmail.com

Brought to you by the creator of the KriahMaster™ program, the Shorashim in Action™ workbook was designed as a fun-book with a purpose. The book introduces and reviews 100 common shorashim, using a variety of colorful and exciting worksheets, fun pages and puzzles.

This book can be used for several purposes: It can be used alongside a complete in-school shorashim program. Alternatively, it can be used as a review of what has already been taught, whether during the summer break when children need a fun but effective way of helping them retain what they learned during the school year, or simply after the child has learned a substantial amount of shorashim.

The shorashim are introduced in groups of ten, with a shorashim key page that shows the ten new shorashim together with pictures to illustrate their meanings. The blanks below each shoresh illustration allow the child to fill in the definition in his first language and/or according to the definition he has learned in school. Following each key page are ten activity sheets through which the child can review the new set of shorashim. Shorashim are cumulative, so that as the child moves farther along in the book, he will be simultaneously reviewing and learning new shorashim. Also included is a separate, pull-out key with all 100 shorashim, to be used as a general reference.

Since the material included here is appropriate for children of different ages and abilities, the activity sheets were created to appeal to a range of skill levels. If a child is not yet ready for a particular kind of puzzle, he can easily move on to the next activity and eventually come back to that worksheet at another time.

Although created for the mainstream student, the Shorashim in Action™ workbook is also carefully designed to be used together with the KriahMaster™ Reading Program. Included is a KriahMaster™ sequence page (refer to enclosed card) showing which shorashim can be introduced after each letter of the KriahMaster™ sequence. Educators can also refer to the ten shorashim key pages, which will include the page numbers upon which each shoresh is introduced. This is particularly productive for older children who are using the KriahMaster™ program and will benefit from advancing in shorashim skills, while also progressing in kriah.

Also available: The Shorashim in Action™ card box, which can be used alone or alongside the book, to reinforce and review all 100 shorashim.

Shorashim Key

פגש	ספר	שיר	סגר	חסר

Page 6	Page 5	Page 4	Page 3	Page 2
פחד	ירד	רדפ	רחצ	שמר

Page 11	Page 10	Page 9	Page 8	Page 7

Shape Patterns

• Fill in the shapes that are חסר.

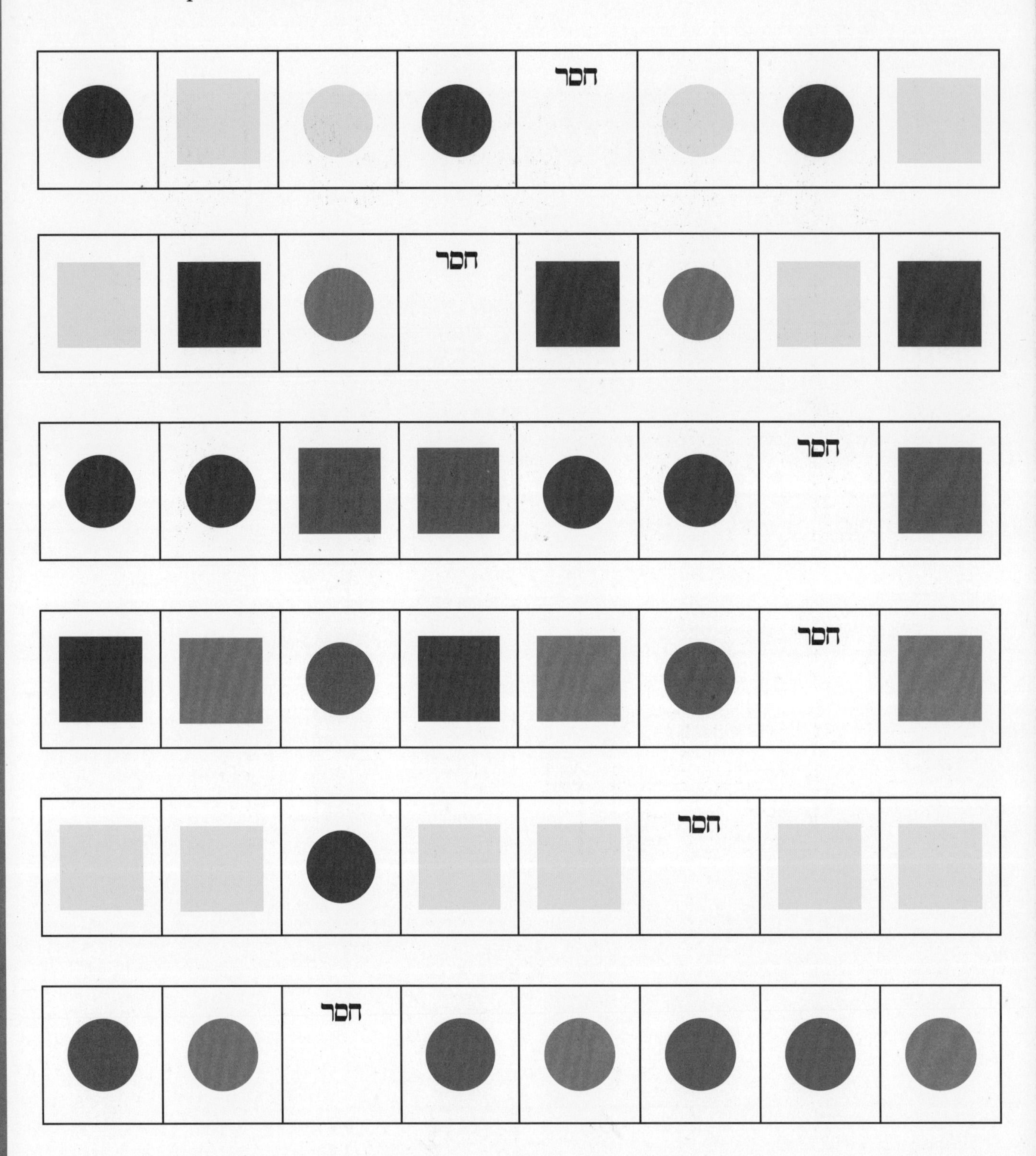

Maze

• Use the shorashim key below to help guide you along the maze.

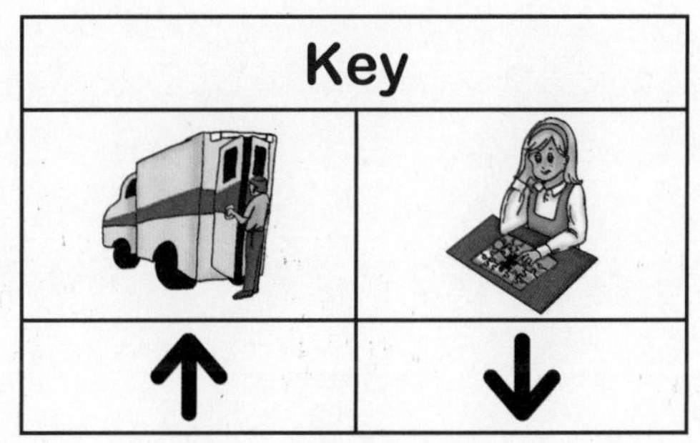

Shoresh Find

• Find and circle the letters of each shoresh shown in the shoresh box.

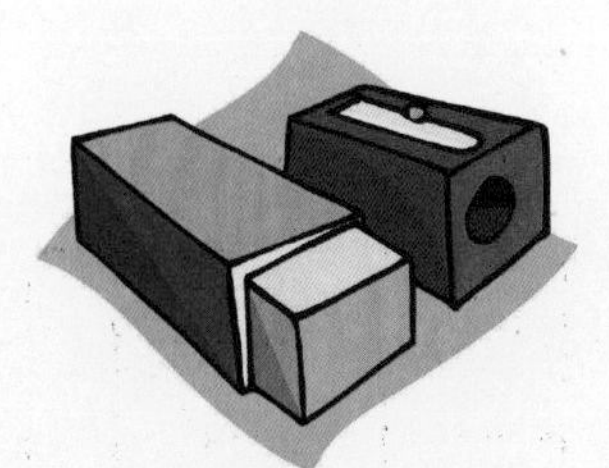

ר	י	שׁ	ר	בּ
ח	ר	ח	ג	ס
ג	ס	בּ	שׁ	ג
בּ	ר	ס	ח	ר
ר	ג	ג	בּ	ח

Shoresh Box

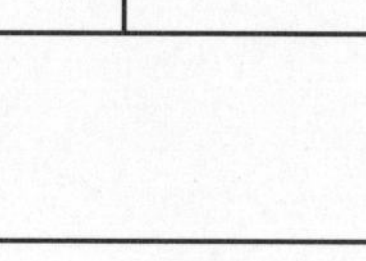

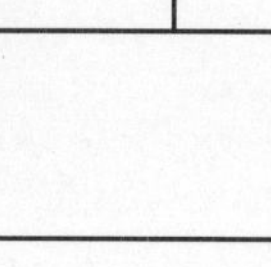

Unscramble

• Unscramble the letters to find a shoresh that matches the picture.

ר	שׂ	י

ח	ר	ס

ר	ס	ג

פ	ס	ר

Matching

• Match the shoresh to the correct picture.

Patterns

• Fill in the letters if the missing shoresh to complete the pattern in each row.

Maze

• Use the shorashim key below to help guide you along the maze.

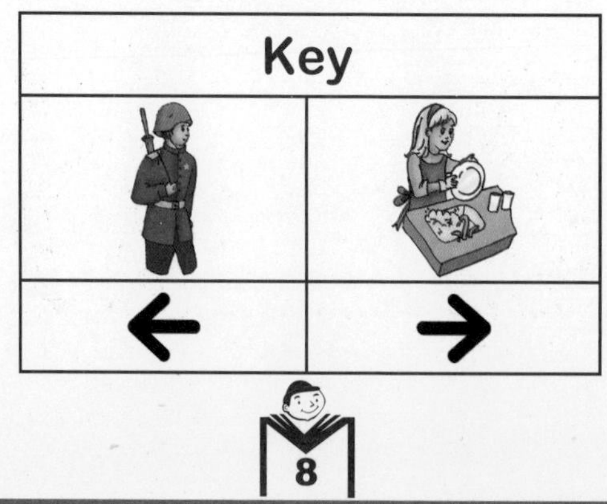

Shoresh Find

• Find and circle the letters of each shoresh shown in the shoresh box.

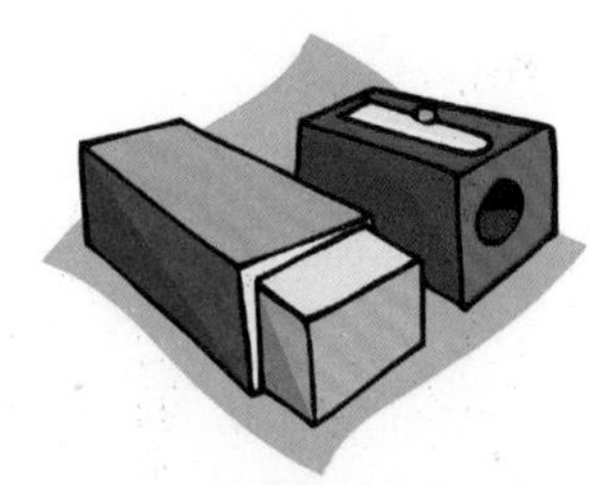

שׁ	מ	פּ	בּ	פּ
מ	תּ	כּ	מ	ס
ר	פּ	ד	ר	ג
ר	ס	י	ג	ר
שׁ	ר	פּ	ס	ח

Shoresh Box

Which Shoresh?

• Fill in the letters of the shoresh that identify each picture.

Color Matching

• Fill in the correct color under each shoresh, using the key below.

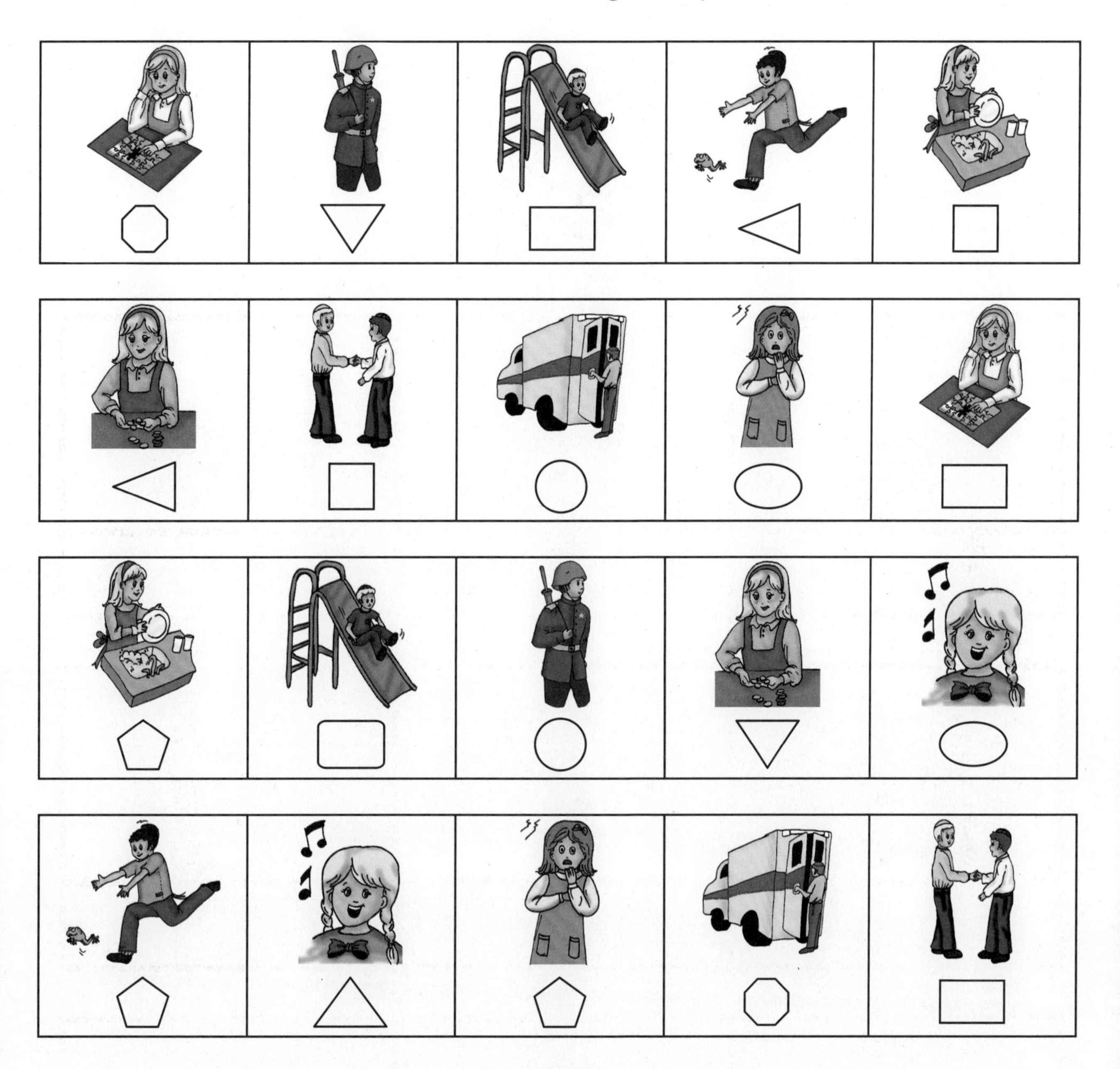

Key									
סגר	רדף	שמר	פגש	חסר	ירד	רחץ	ספר	פחד	שיר

Test Your Knowledge

סגר	שׁמר	רדפ	שׁיר
רחצ	ספר	סגר	פגשׁ
פגשׁ	שׁיר	חסר	ירד
רדפ	פחד	פחד	חסר
ירד	שׁיר	רחצ	שׁמר
חסר	שׁמר	ספר	סגר
ספר	פגשׁ	ירד	רחצ

Shorashim Key

רפא	מצא	אסף	אמר	יצא

Page 18	Page 17	Page 16	Page 15	Page 14
קצר	**קרא**	**מחק**	**צחק**	**פתח**

Page 23	Page 22	Page 21	Page 20	Page 19

Pattern Matching

• Fill in the letters of the shoresh under each picture. Next, circle the row of pictures that matches the key.

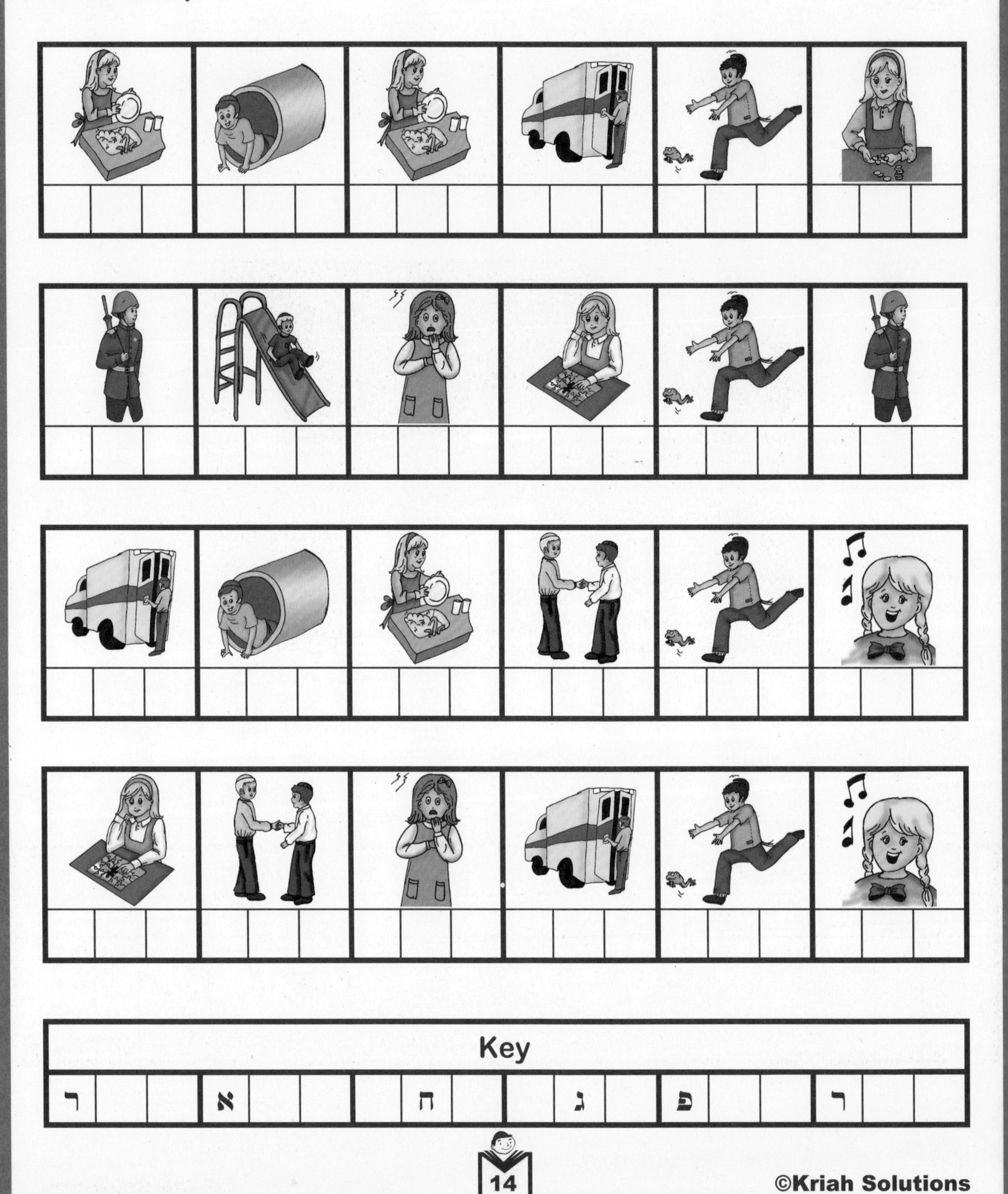

Crossword Puzzle

• Use the picture clues under the puzzle to fill in the correct shoresh for each numbered blank.

Across				Down			
1	2	3	4	1	2	3	4

Unscramble

• Unscramble the letters to find a shorshe that matches the picture.

י	ר	ד

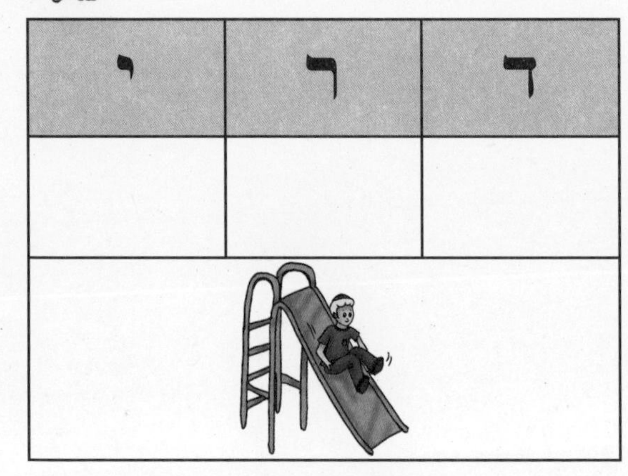

ס	א	פ

פ	ר	ד

שׁ	מ	ר

ס	ר	ח

ד	פ	ח

Matching

• Match the shoresh to the correct picture.

Shorashim Patterns

• Fill in the letters of the missing shoresh to complete the pattern in each row.

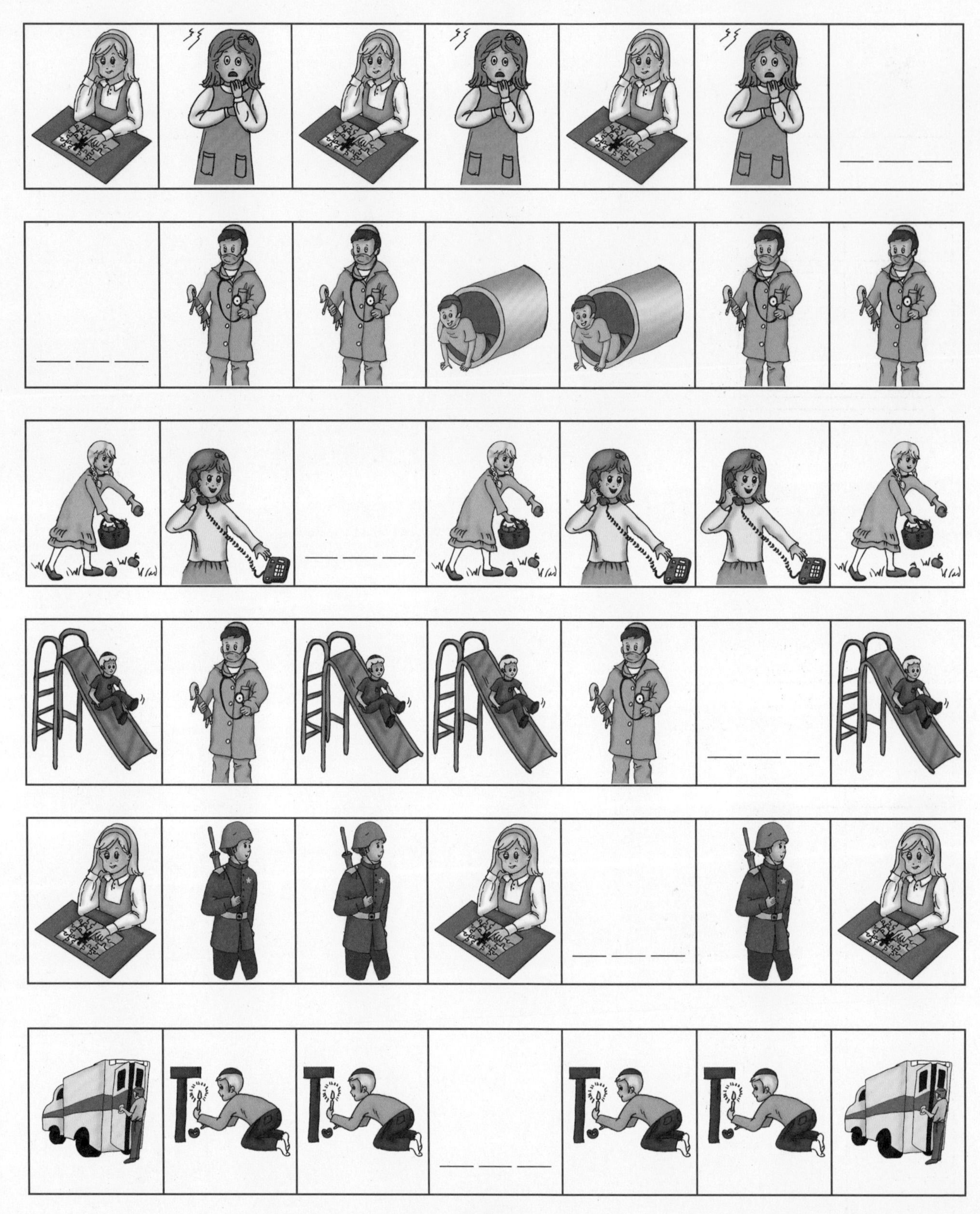

Check it!

• Place a check in the column under each letter found in the shorashim shown.

א	ר	ח	מ	י	צ	פ	

Shoresh Find

• Find and circle the letters of each shoresh shown in the shoresh box.

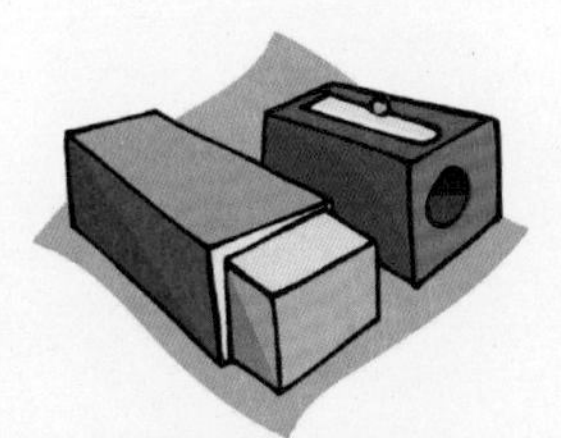

ק	בּ	מ	שׁ	ג	פּ	כּ
תּ	א	פּ	ר	פּ	בּ	א
כּ	ר	ק	ח	צ	ג	ס
י	ח	שׁ	צ	ג	י	פּ
ר	ת	א	ג	י	ק	ת
ד	תּ	ח	ת	פּ	ח	צ
כּ	ד	מ	ק	א	צ	י

Shoresh Box

Which Shoresh?

• Fill in the letters of the shoresh that identify each picture.

Color Matching

• Fill in the correct color under each shoresh, using the key below.

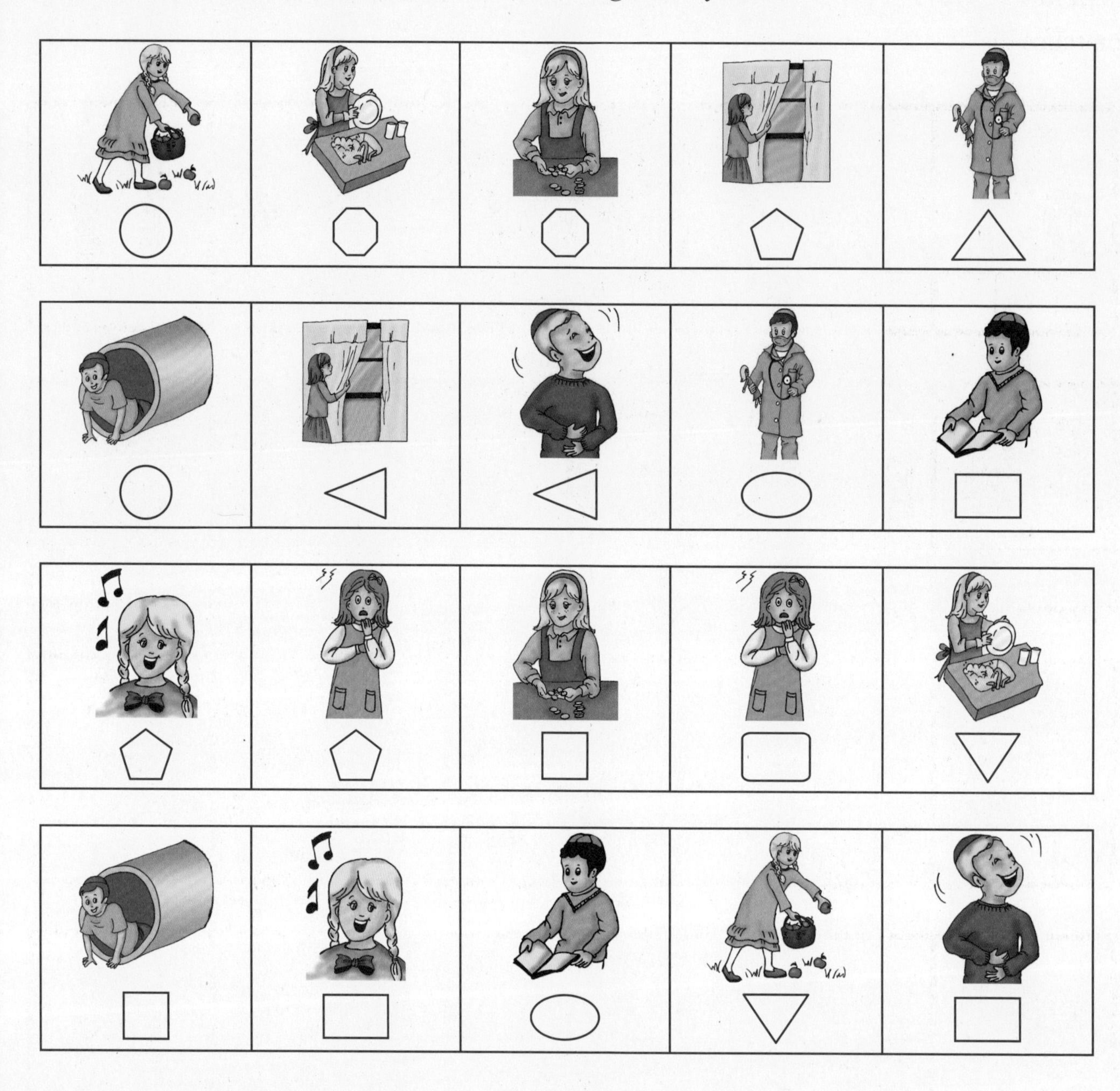

Key									
יצא	פתח	רחץ	שיר	ספר	קרא	אסף	רפא	פחד	צחק

Pattern Matching

• Fill in the letters of the shoresh under each picture. Next, circle the row of pictures that matches the key.

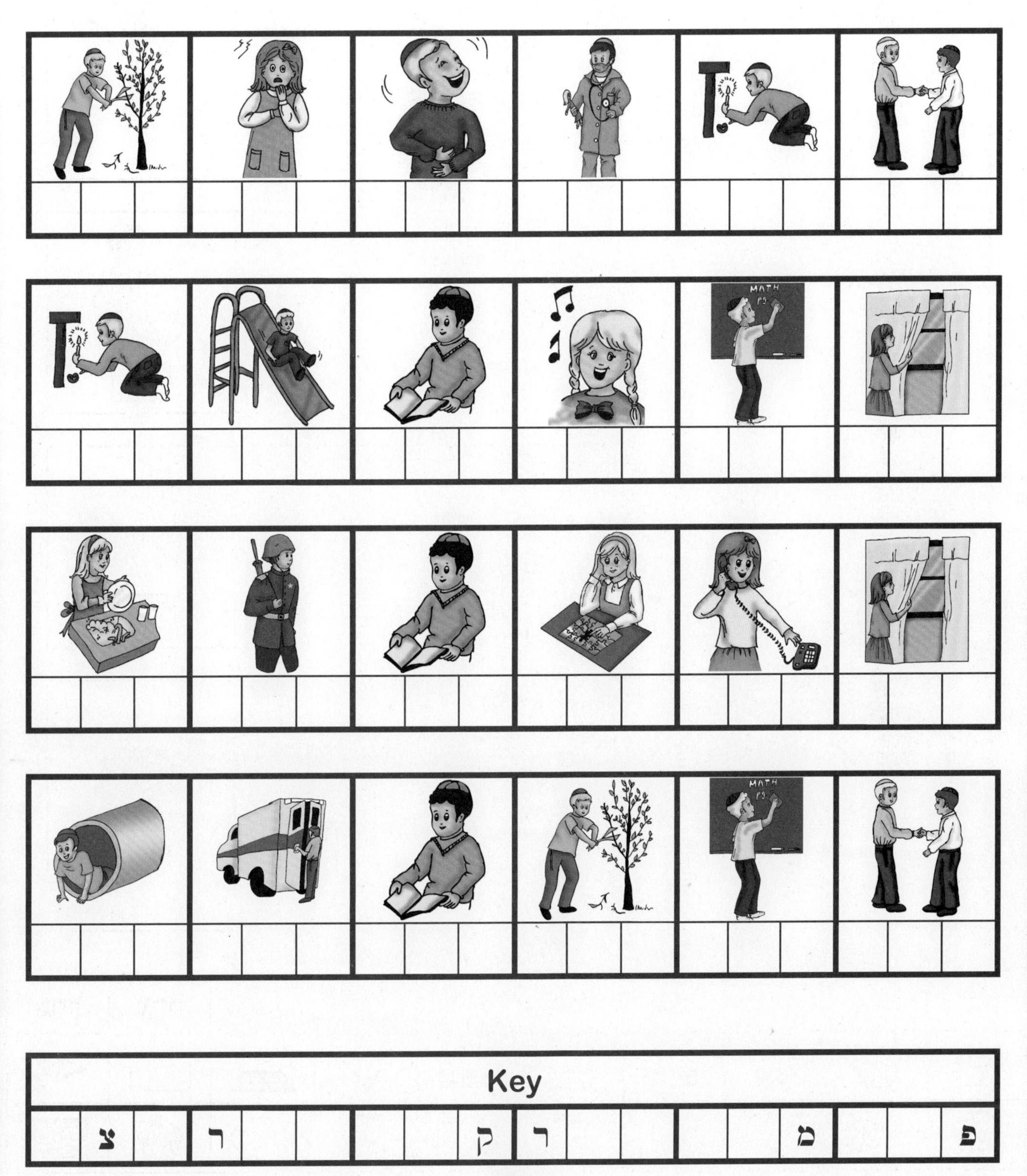

Test Your Knowledge

אספ	רפא	פגש	סגר
ירד	פתח	רדפ	שיר
חסר	מצא	קצר	צחק
רחצ	ספר	אמר	מצא
יצא	קצר	פחד	שמר
מחק	קרא	ירד	רחצ
אמר	פתח	יצא	רפא

Shorashim Key

שקט	סור	קום	רוצ	קשר

Page 30	Page 29	Page 28	Page 27	Page 26

עמד	מכר	שפט	חטא	מטר

Page 35	Page 34	Page 33	Page 32	Page 31

Crossword Puzzle

• Use the picture clues under the puzzle to fill in the correct shoresh for each numbered blank.

Across				Down			
1	2	3	4	1	2	3	4

Unscramble

• Unscramble the letters to find a shoresh that matches the picture.

פ	ח	ת

ק	שׁ	ר

ר	ו	צ

ח	מ	ק

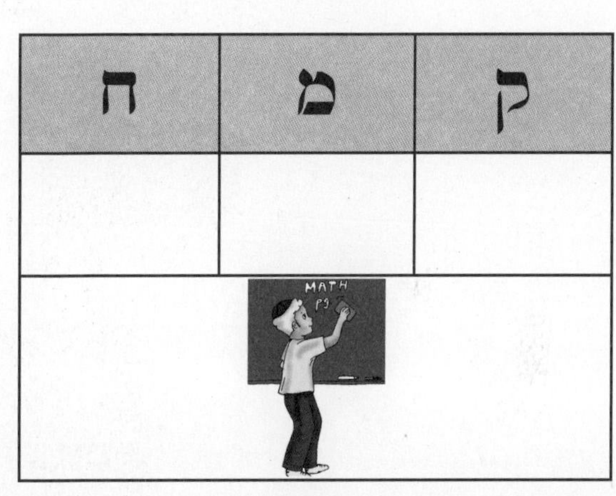

ק	ר	א

ק	ר	צ

Matching

• Match each shoresh on the right to the correct picture and then to the word in which it appears.

מצא

וּשְׁמַרְתֶּם

קום

קוּמָה

שמר

מַרְפֵּא

רפא

פָּתַח

פתח

מָצָא

Manipulation

• Identify the shoresh in the box on the right. To move to the next box, find a shoresh shown in the answer key in which two letters are the same as in the first shoresh. Letters may be in any order. Do the same for the following boxes to complete each row.

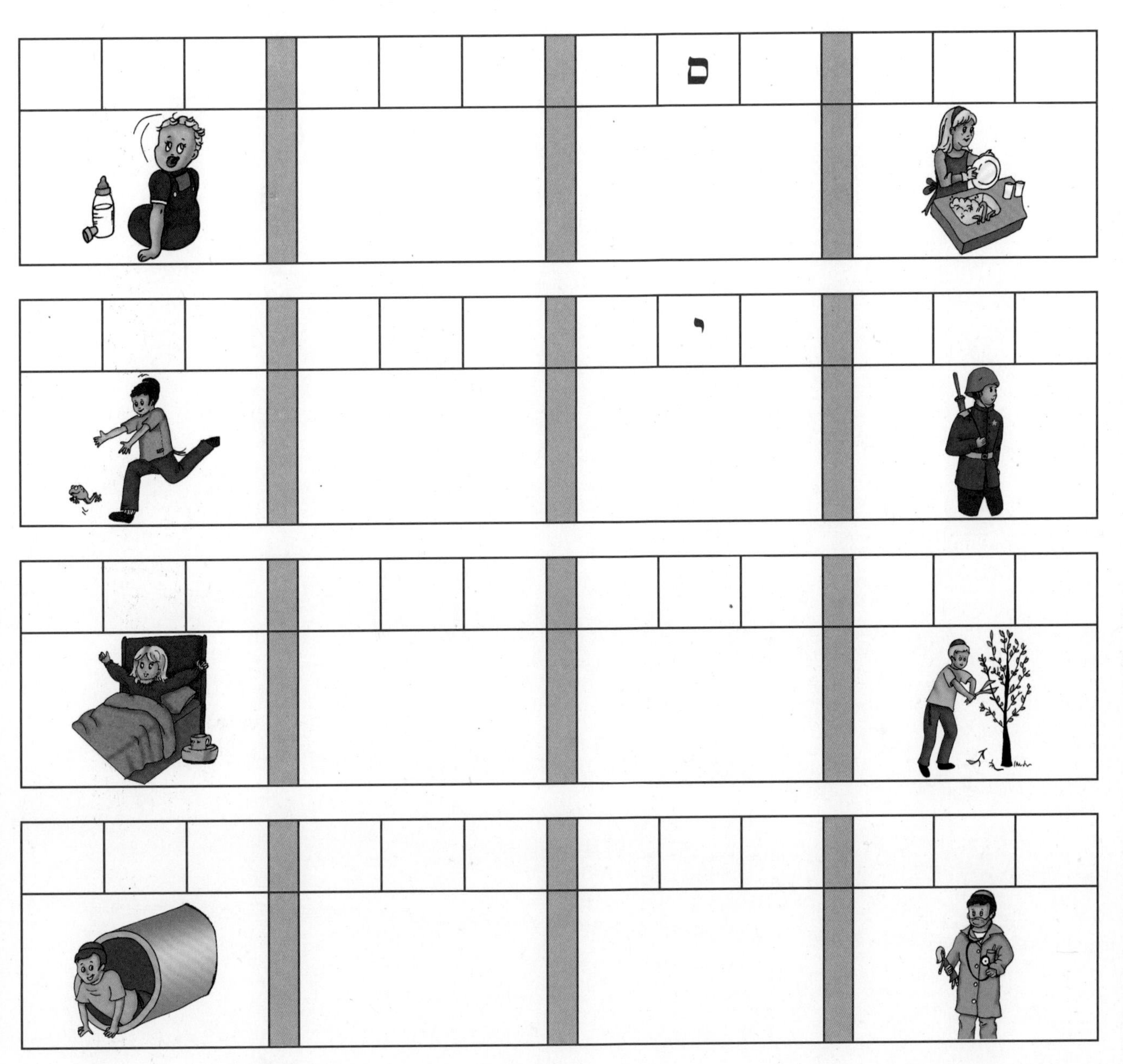

Check it!

• Place a check in the column under each letter found in the shorashim shown.

ט	מ	ר	צ	א	ו	ק	

Shoresh Find

• Find and circle the letters of each shoresh shown in the shoresh box.

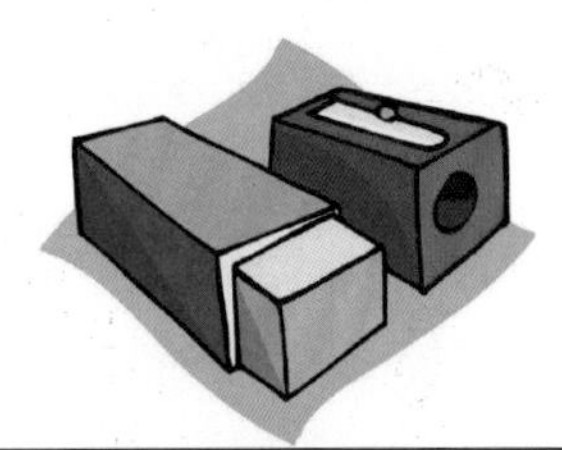

צ	פּ	ד	ר	ג	שׁ	ו
ק	ס	בּ	ק	ח	צ	כּ
מ	ו	ק	ר	א	ס	מ
תּ	ר	ט	מ	ח	ק	צ
ט	י	ד	ת	בּ	ר	א
ח	ת	פּ	ס	כּ	א	ר
מ	ת	ח	ו	פּ	בּ	י

Shoresh Box

Which Shoresh?

• Fill in the letters of the shoresh that identify each picture.

Color Matching

• Fill in the correct color under each shoresh, using the key below.

Key

אמר	מחק	שקט	סור	מטר	חטא	שפט	רוץ	קום	קשר

Pattern Matching

• Fill in the letters of the shoresh under each picture. Next, circle the row of pictures that matches the key.

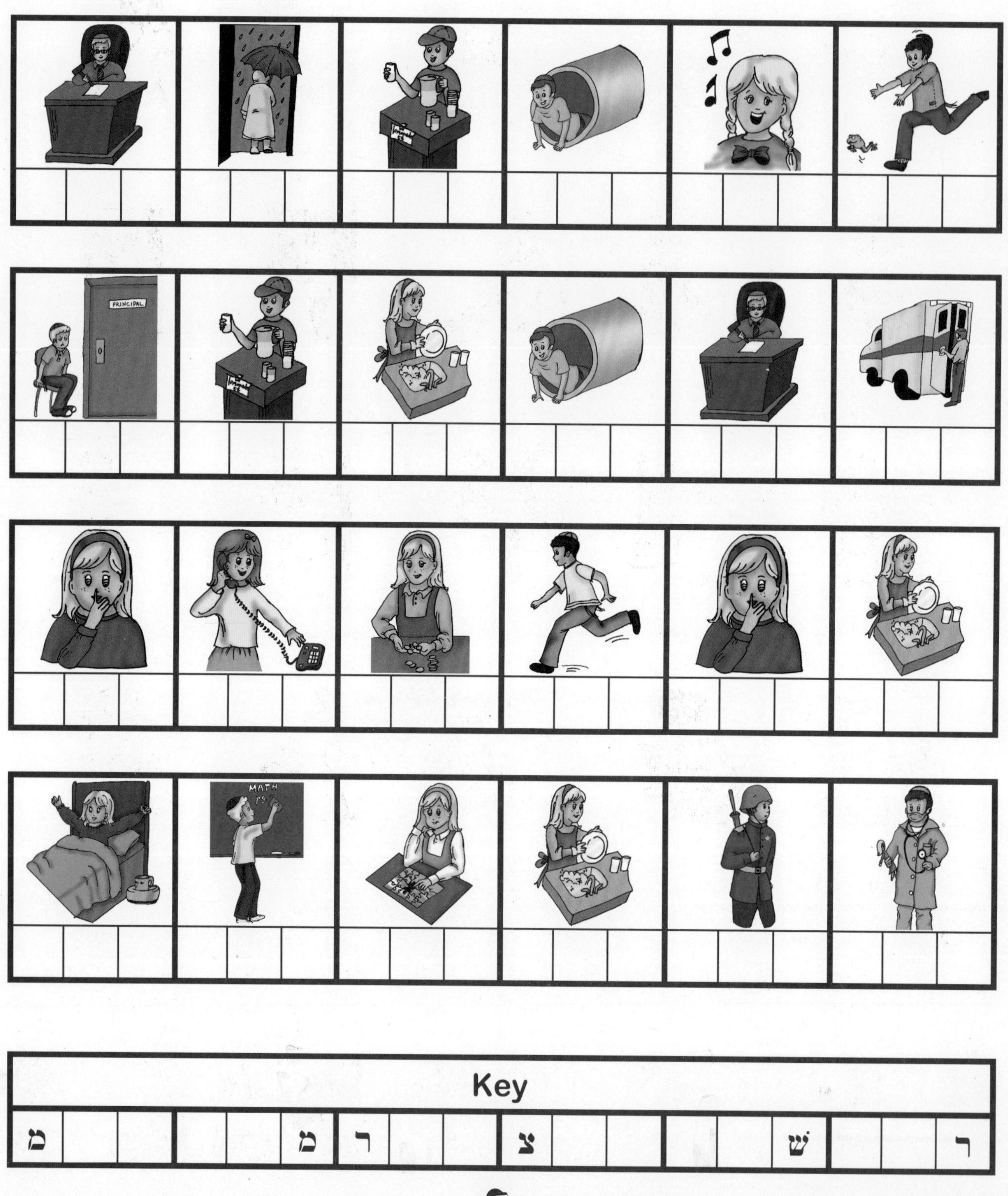

Crossword Puzzle

• Use the picture clues under the puzzle to fill in the correct shoresh for each numbered blank.

Across				Down			
1	2	3	4	1	2	3	4

Test Your Knowledge

רוצ	פגש	פתח	מכר
שפט	שיר	קצר	מצא
סגר	אמר	קשר	רחצ
שקט	צחק	פחד	מטר
ירד	חטא	רפא	חסר
מחק	רדפ	שמר	קרא
עמד	קומ	ספר	סור

Shorashim Key

ידע	צעק	קרע	שמע	כעס

Page 42	Page 41	Page 40	Page 39	Page 38
אפה	הפכ	אחז	זרק	עזר

Page 47	Page 46	Page 45	Page 44	Page 43

Unscramble

• Unscramble the letters to find a shoresh that matches the picture.

מ	כ	ר

ש	פ	ט

ד	ע	מ

ע	כ	ס

א	ס	פ

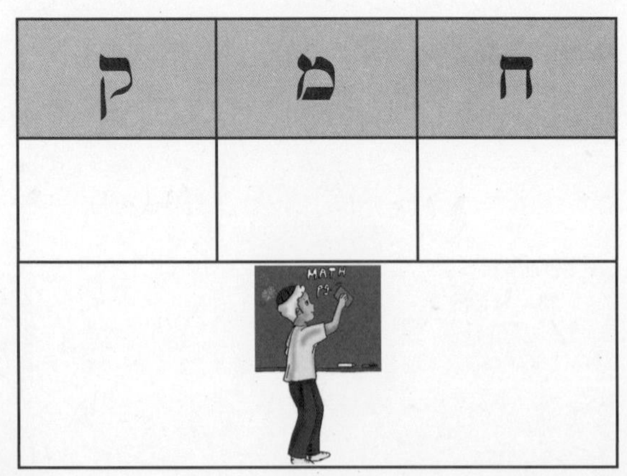

ק	מ	ח

Matching

• Match each shoresh on the right to the correct picture and then to the word in which it appears.

Shoresh	Word
קרא	שָׁמְעוּ 
ירד	נִפְגָּשׁוּ 
שמע	קוֹרֵא 
צחק	וַיֵּרֶד 
פגש	יִצְחָק 

Manipulation

• Identify the shoresh in the box on the right. To move to the next box, find a shoresh shown in the answer key in which two letters are the same as in the first shoresh. Letters may be in any order. Do the same for the following boxes to complete each row.

Key

Check it!

• Place a check in the column under each letter found in the shorashim shown.

ט	כ	מ	ק	א	ע	ש	

Shoresh Find

• Find and circle the letters of each shoresh shown in the shoresh box.

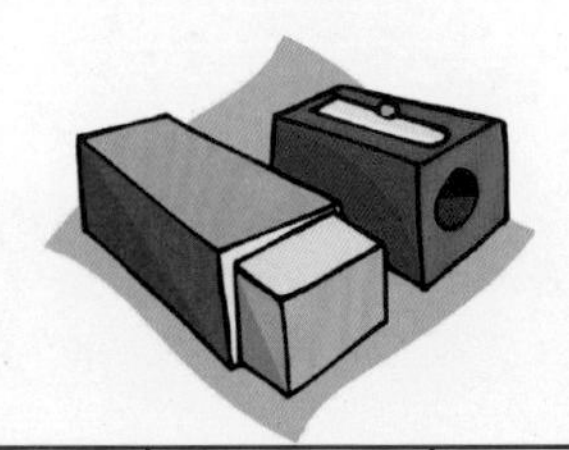

ס	ק	כ	ג	בּ	שׁ	תּ
פ	ר	ס	ו	ע	מ	י
ר	ע	ט	פ	שׁ	ר	שׁ
י	ע	ד	י	פ	ג	מ
צ	מ	ח	ד	ק	א	ע
א	כּ	שׁ	ר	י	ט	ת
ד	תּ	ק	ע	צ	מ	ג

Shoresh Box

Which Shoresh?

• Fill in the letters of the shoresh that identify each picture.

Match up

• Use the key to fill in the shorashim that match the correct symbol.

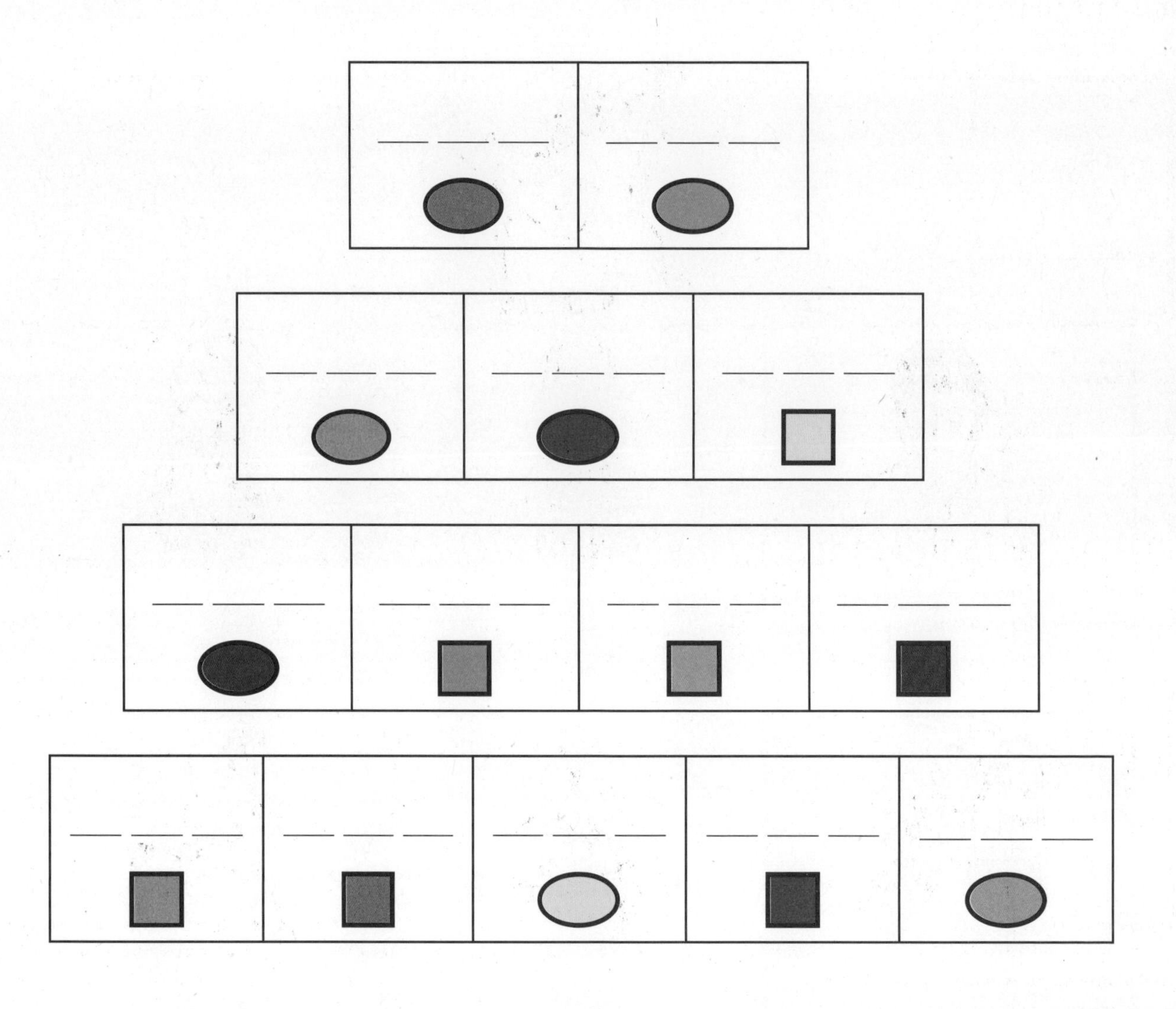

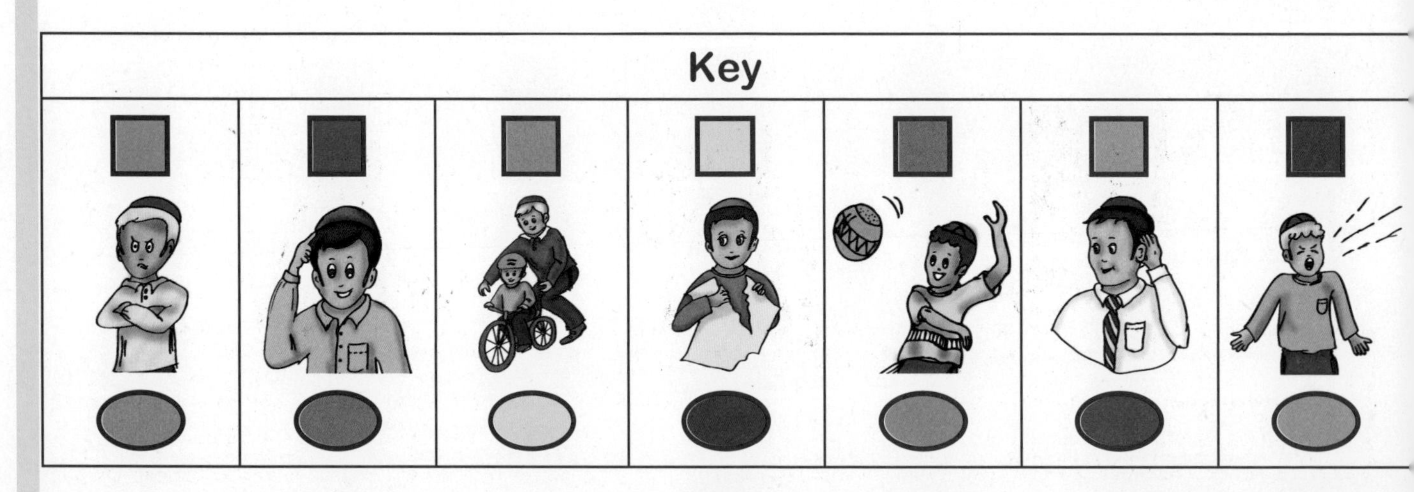

Pattern Matching

• Fill in the letters of the shoresh under each picture. Next, circle the row of pictures that matches the key.

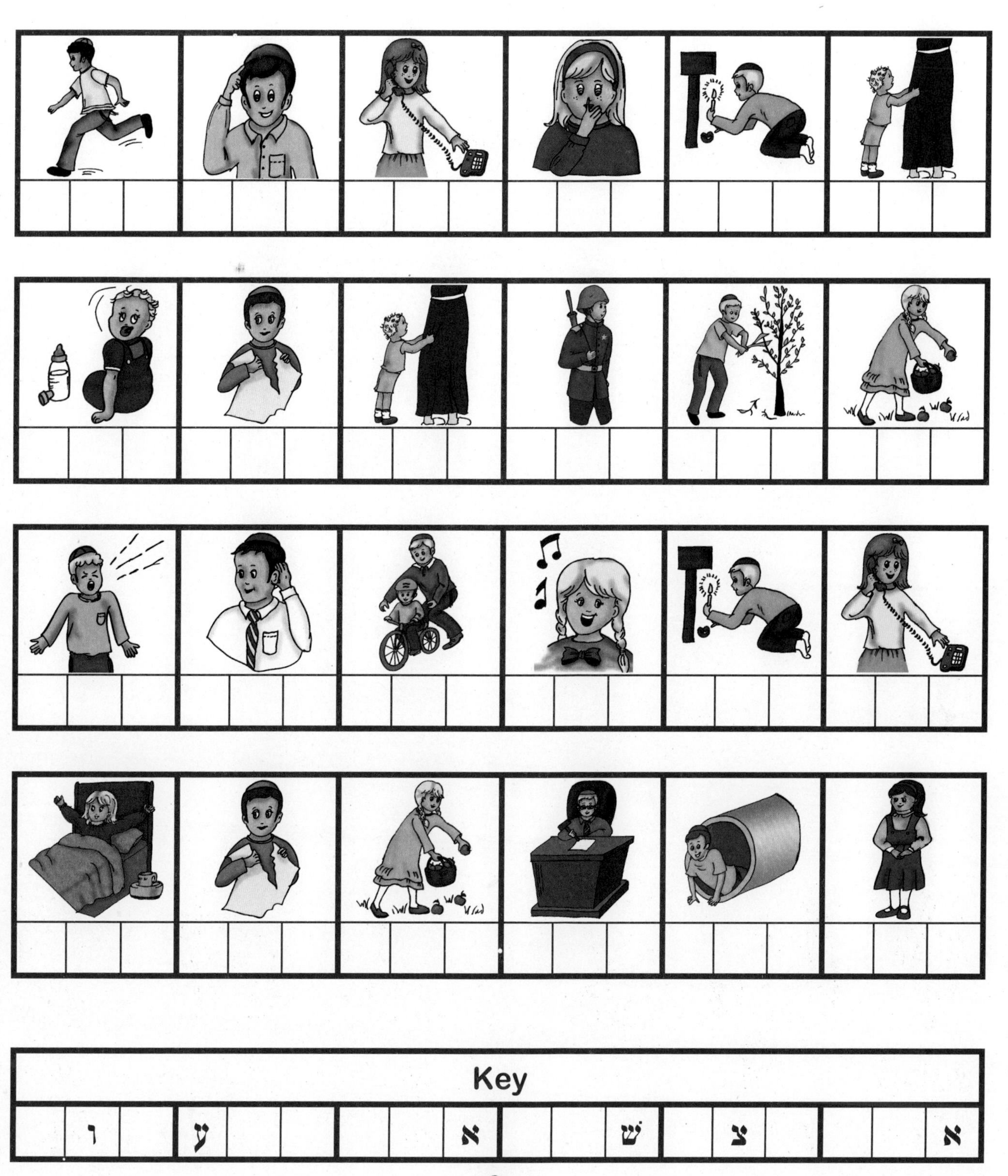

Key																	
	ו		ע					א			ש		צ				א

Crossword Puzzle

• Look at the picture clues in the key below to determine how to complete each shoresh. Some of the letters in this puzzle have already been filled in.

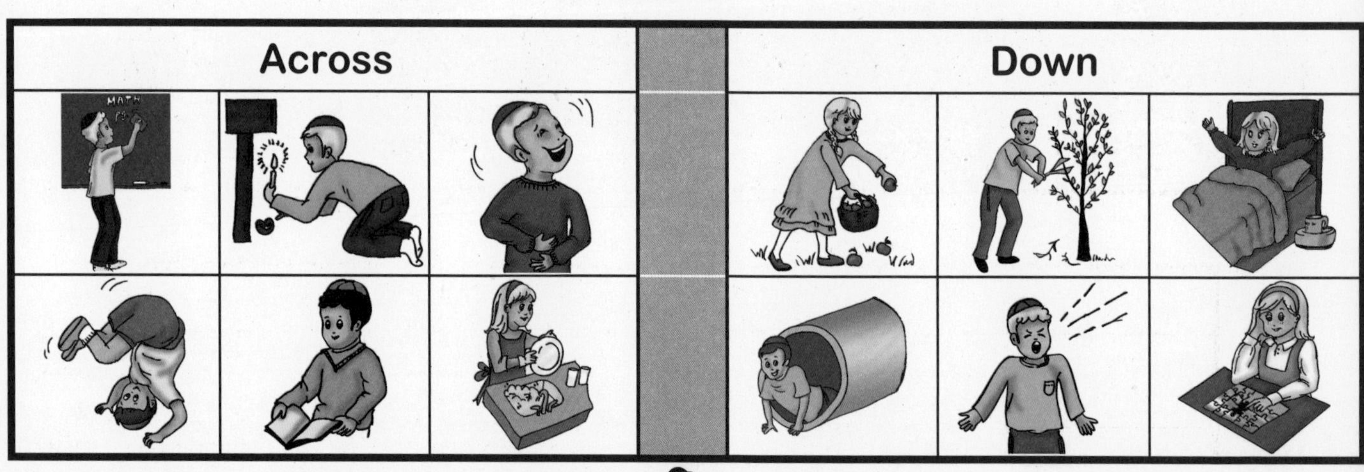

Circle and Write

• Circle the shorashim below that include at least one of the following letters. Use the blanks to write the correct answers.

Write:

___ ___ ___	___ ___ ___	___ ___ ___	___ ___ ___	___ ___ ___

Test Your Knowledge

קרע	שׁיר	כעס	אחז
קום	אפה	עמד	מטר
עזר	שׁפט	חטא	ידע
קשׁר	רחץ	אסף	שׁמר
חסר	זרק	ירד	שׁמע
יצא	מכר	רפא	צעק
קרא	הפכ	צחק	שׁקט

Test Your Knowledge

מחק	מטר	צעק	הפכ
פחד	עזר	שפט	קצר
קרע	ספר	אפה	פתח
שמע	עמד	רדפ	חטא
פגש	כעס	אמר	זרק
שקט	מכר	סור	סגר
רוצ	אחז	מצא	ידע

Test Your Knowledge

קרע	קשר	מכר	סגר
פתח	חסר	שמע	קום
רפא	כעס	ירד	מכר
שיר	מצא	עזר	צעק
הפכ	שפט	יצא	רחצ
רדפ	שמר	אחז	אספ
זרק	ידע	מטר	אפה

Shorashim Key

כסה	רמה	צוה	רצה	שׁתה
Page 56	Page 55	Page 54	Page 53	Page 52

נסע	נשׁק	ראה	הרג	הכה

Page 61	Page 60	Page 59	Page 58	Page 57

Matching

• Match each shoresh on the right to the correct picture and then to the word in which it appears.

Word	Shoresh
חָטְאוּ	 אמר
וַיֹּאמֶר	 שתה
אֹפָה	 סור
סוּרוּ	 חטא
יִשְׁתֶּה	 אפה

Manipulation

• Identify the shoresh in the box on the right. To move to the next box, find a shoresh shown in the answer key in which two letters are the same as in the first shoresh. Letters may be in any order. Do the same for the following boxes to complete each row.

Key

Shoresh Find

• Find and circle the letters of each shoresh shown in the shoresh box.

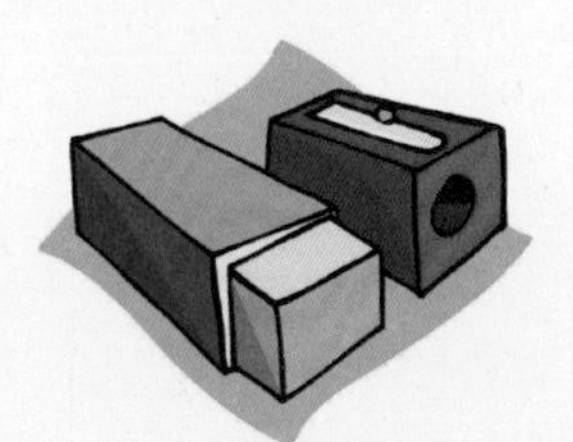

ר	מ	ר	בּ	מ	ד	א
פּ	ו	צ	צ	ש	י	פ
ז	ע	ה	תּ	כ	פ	ה
ט	פּ	מ	ע	א	ח	כ
צ	ק	ר	ז	א	פּ	ש
ו	ר	ג	ר	ח	ק	י
ה	ת	ש	ת	ז	פ	ר

Shoresh Box

Check it!

• Place a check in the column under each letter found in the shorashim shown.

ה	ז	צ	ו	פ	א	ר	

Scramble

• Identify the shorashim shown in the four pictures below. Now, how many new shorashim can you arrange using these twelve letters? List them below.

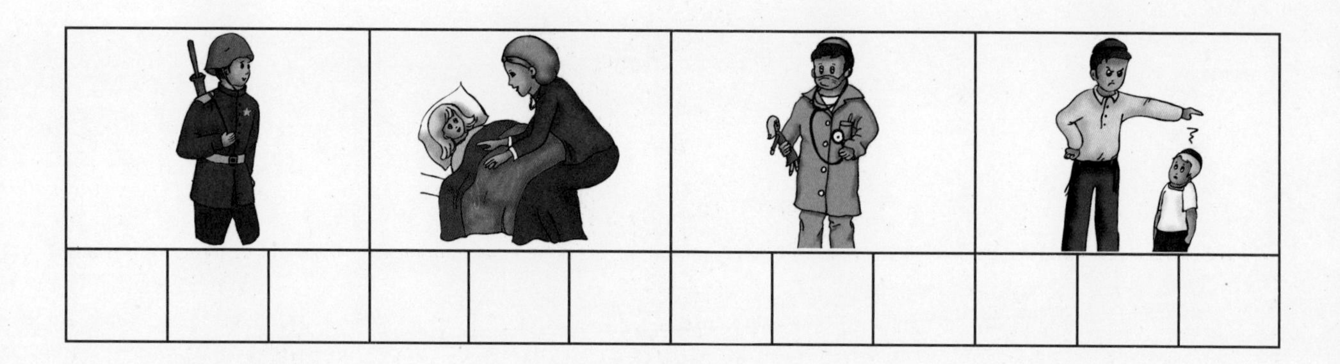

Which Shoresh?

• Fill in the letters of the shoresh that identify each picture.

Match up

• Use the key to fill in the shorashim that match the correct symbol.

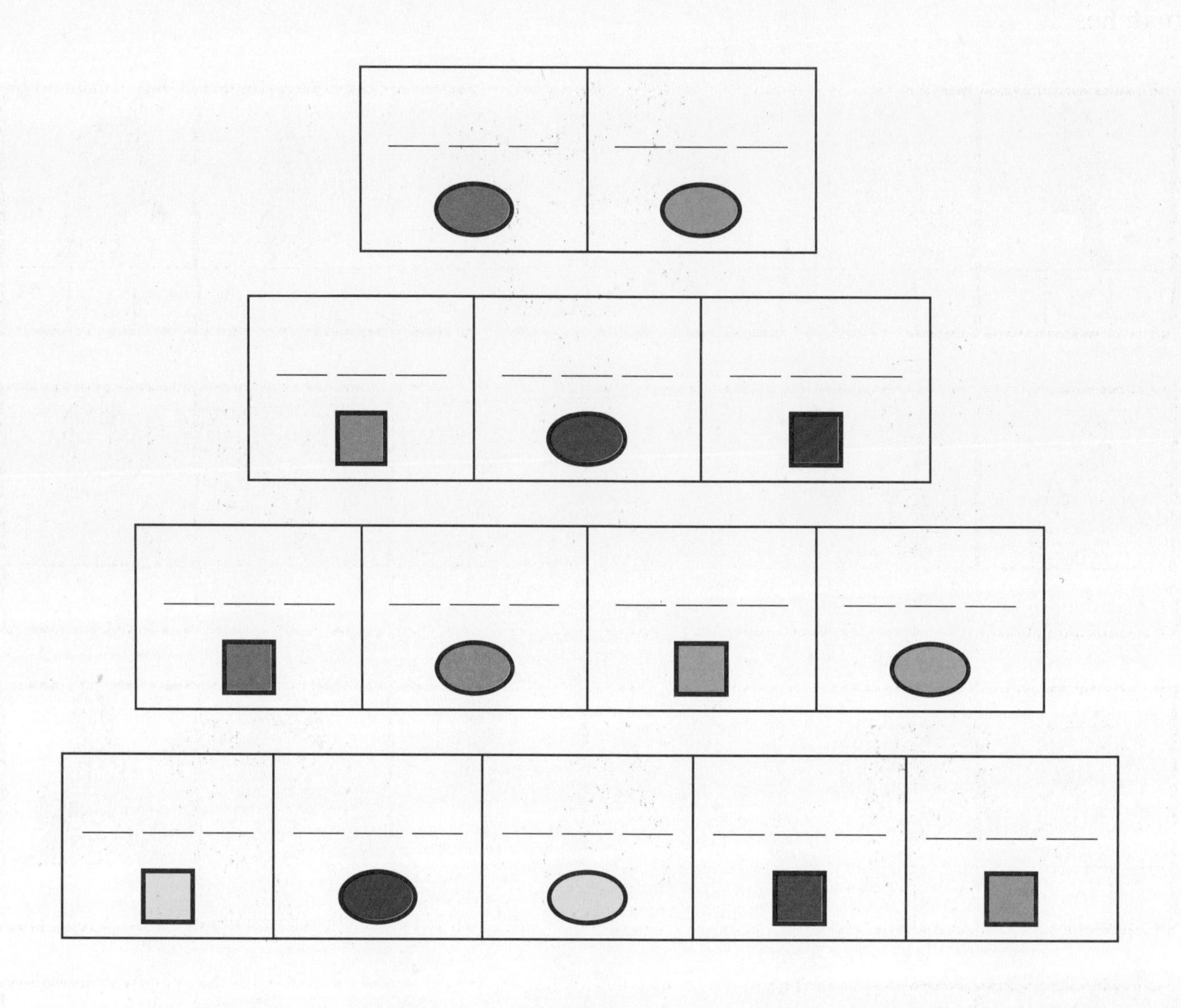

Pattern Matching

• Fill in the letters of the shoresh under each picture. Next, circle the row of pictures that matches the key.

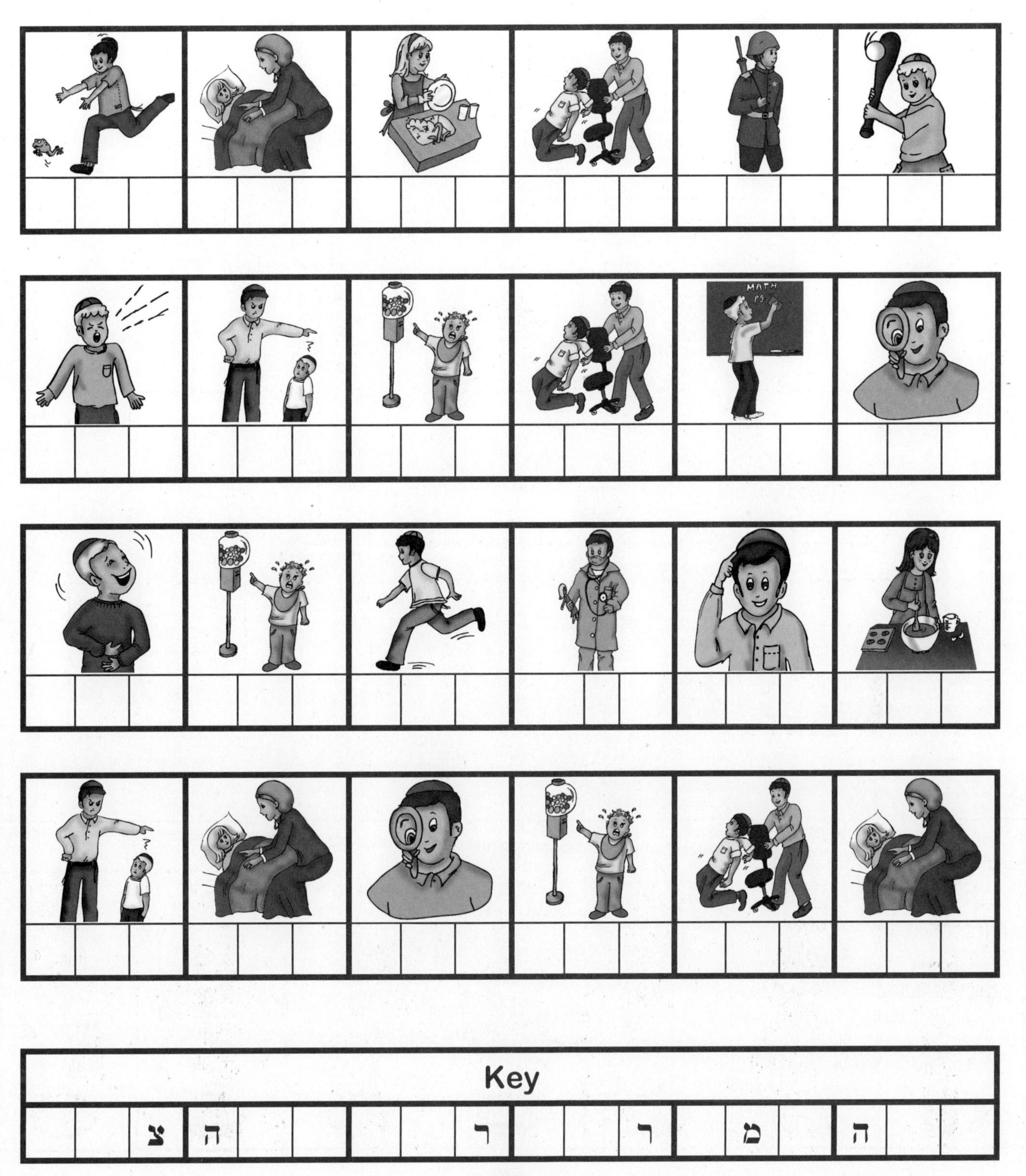

Crossword Puzzle

• Look at the picture clues in the key below to determine how to complete each shoresh. Some of the letters in this puzzle have already been filled in.

Across	Down

Circle and Write

• Circle the shorashim below that include at least one of the following letters. Use the blanks to write the correct answers.

ש	נ	מ

Write:				
___ ___ ___	___ ___ ___	___ ___ ___	___ ___ ___	___ ___ ___

Test Your Knowledge

כסה	קצר	ראה	שׂפט	רצה
יצא	סור	קרע	חסר	נסע
הפכ	צעק	שׁתה	זרק	מחק
כעס	שׁיר	אפה	עזר	פגשׁ
אחז	רחצ	ידע	רוצ	צוה
מטר	רמה	שׁמע	מצא	פתח
נשׁק	עמד	הכה	ירד	הרג

Test Your Knowledge

רמה	צחק	שתה	שקט	הכה
זרק	כעס	הרג	שמר	קרע
אספ	רדפ	רפא	פחד	צוה
אפה	עזר	נשק	קשר	מכר
נסע	קום	צעק	סגר	כסה
אחז	ספר	רצה	אמר	שמע
קרא	ראה	הפכ	חטא	ידע

Test Your Knowledge

קצר	כסה	עזר	צחק	ידע
הכה	מכר	רמה	הרג	קרא
פחד	ראה	כעס	זרק	רוצ
שפט	רפא	אמר	צוה	צעק
שקט	נשק	עמד	חטא	מטר
סור	הפכ	נסע	קרע	קומ
רצה	שמע	אפה	אחז	שתה

Shorashim Reference

תקן	נתן	ישן	זקן	ענה

Page 70	Page 69	Page 68	Page 67	Page 66
הצל	לקח	אכל	גדל	למד

Page 75	Page 74	Page 73	Page 72	Page 71

Matching

• Match each shoresh on the right to the correct picture and then to the word in which it appears.

וְכִסָה	נשק
מִצְוָה	כסה
וַיְנַשֵׁק	ענה
וַתַהַרְגוּ	צוה
עָנָה	הרג

Manipulation

• Identify the shoresh in the box on the right. To move to the next box, find a shoresh shown in the answer key in which two letters are the same as in the first shoresh. Letters may be in any order. Do the same for the following boxes to complete each row.

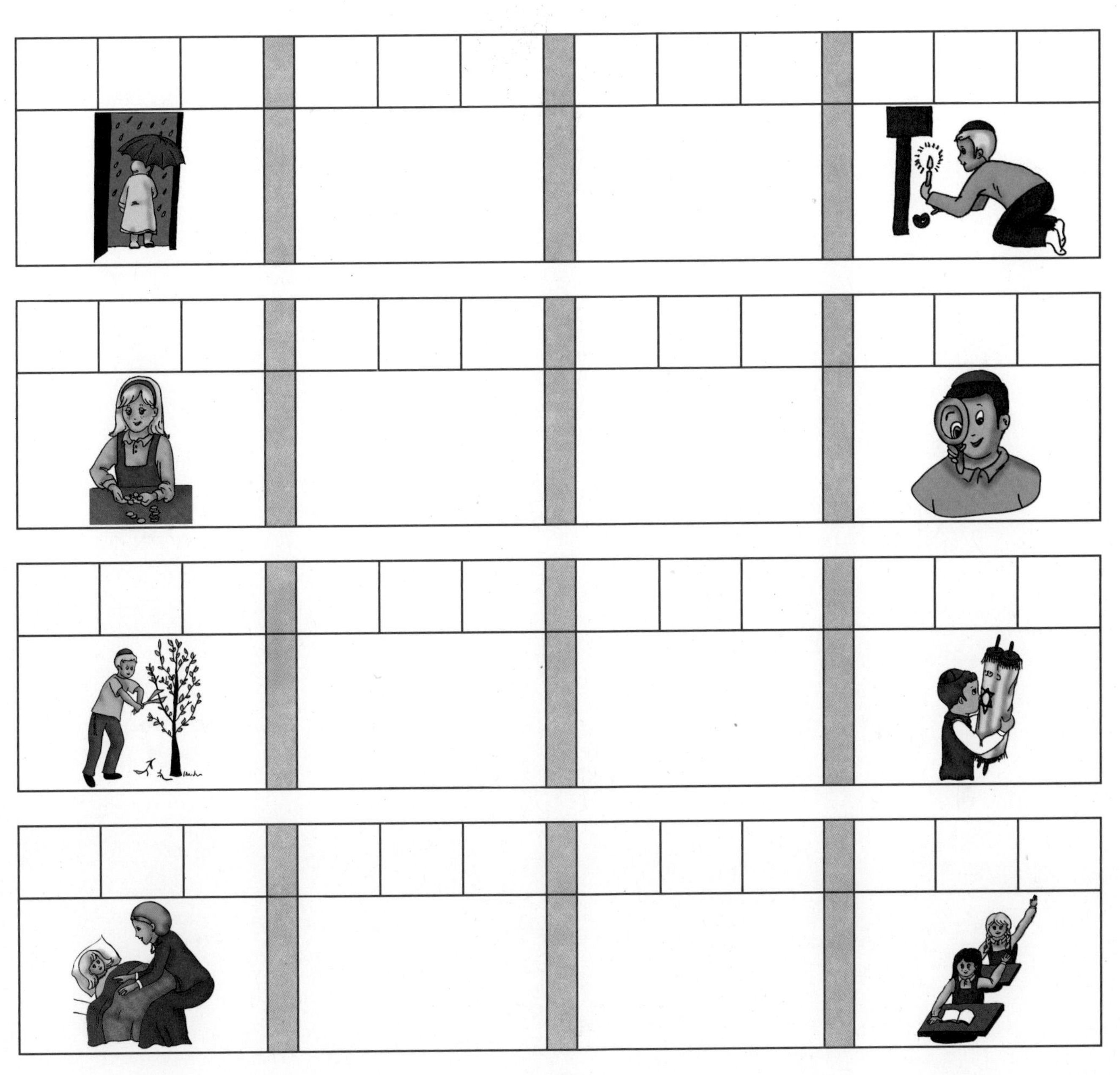

Key

Shoresh Find

• Find and circle the letters of each shoresh shown in the shoresh box.

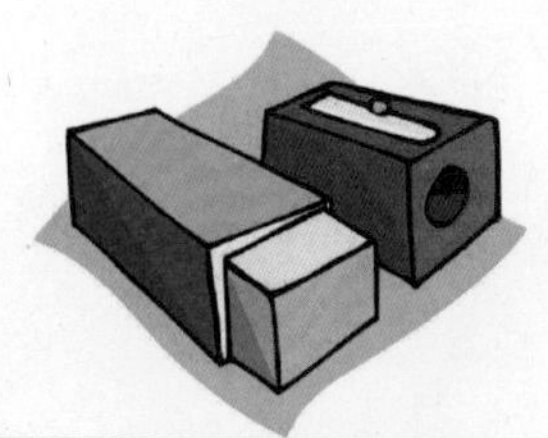

ק	שׁ	צ	ח	י	בּ	א
ע	ד	מ	ת	שׁ	י	ה
נ	ז	ק	שׁ	נ	ק	ז
ה	תּ	ר	פּ	ג	נ	ר
מ	ס	ו	כּ	ה	ט	א
ה	כ	ה	פּ	ר	בּ	ה
ע	ס	נ	צ	ג	כ	ע

Shoresh Box

Shorukoo

• Fill in the cells containing shorashim with numbers, according to the key below, Now, fill in the empty cells in each column, row and box using all the numbers from 1-9 once, without repeating any numbers.

	קום	נתן			הרג	הכה	נסע	
ענה			נסע	הכה	נתן	זקן	קום	
			ראה	רדף	ישן		נשק	
	זקן	נשק	הרג	קום		ראה		הכה
		ישן	זקן		צחק	ענה		
צחק		ענה		נתן	מטר	קום	רדף	
	נתן		ענה	קצר	פגש			
	ראה	זקן	קום	מטר	נסע			מצא
	סגר	הרג	מצא			יצא	פגש	

Key

1	2	3	4	5	6	7	8	9

Scramble

• Identify the shorashim shown in the four pictures below. Now, how many new shorashim can you arrange using these twelve letters? List them below.

Which Shoresh?

• Fill in the letters of the shoresh that identify each picture.

Match up

• Use the key to fill in the shorashim that match the correct symbol.

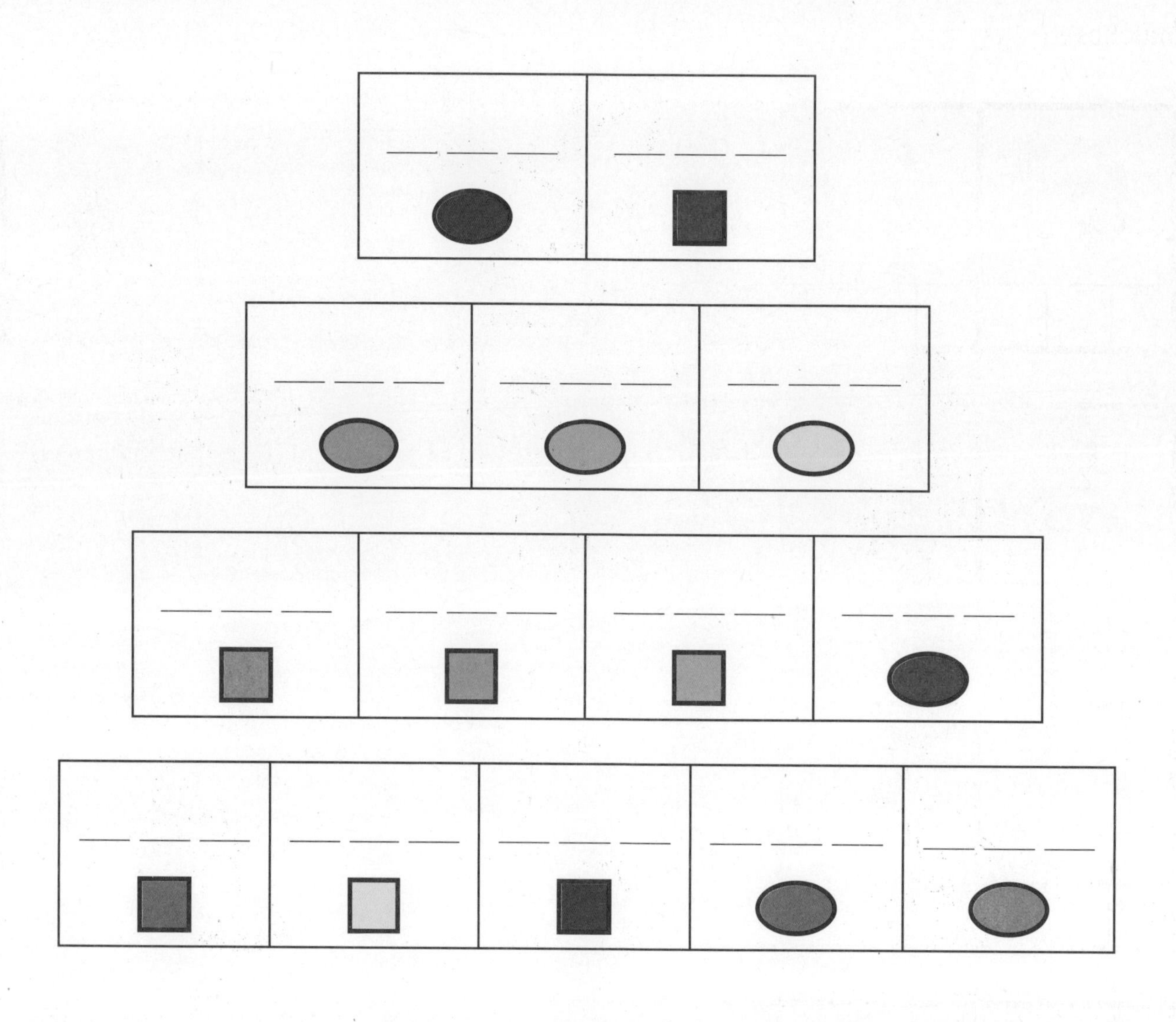

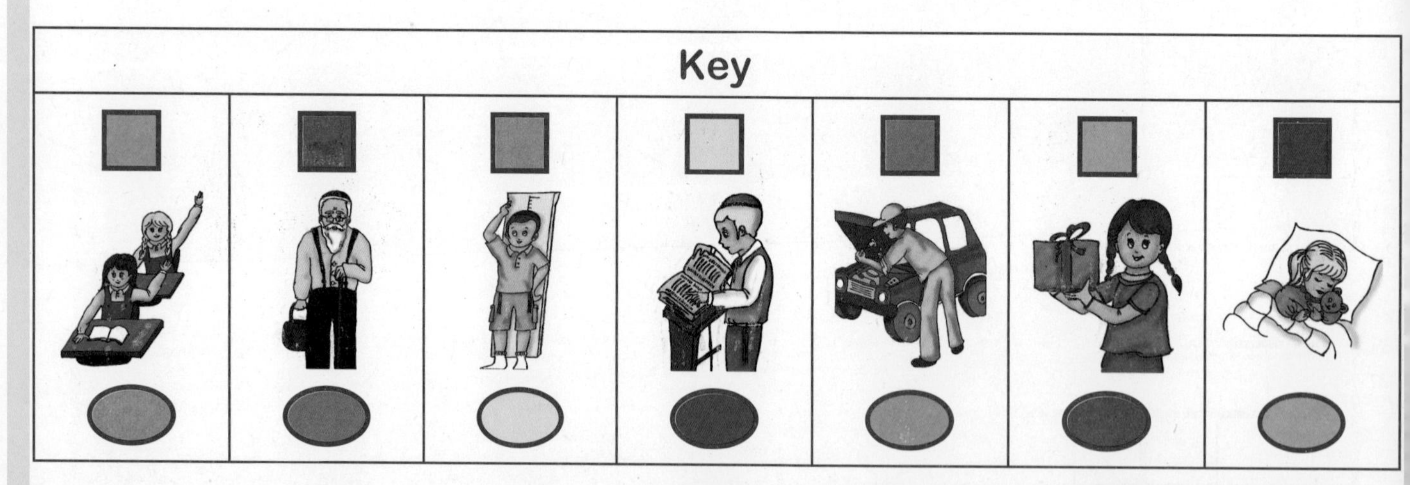

Pattern Matching

• Fill in the letters of the shoresh under each picture. Next, circle the row of pictures that matches the key.

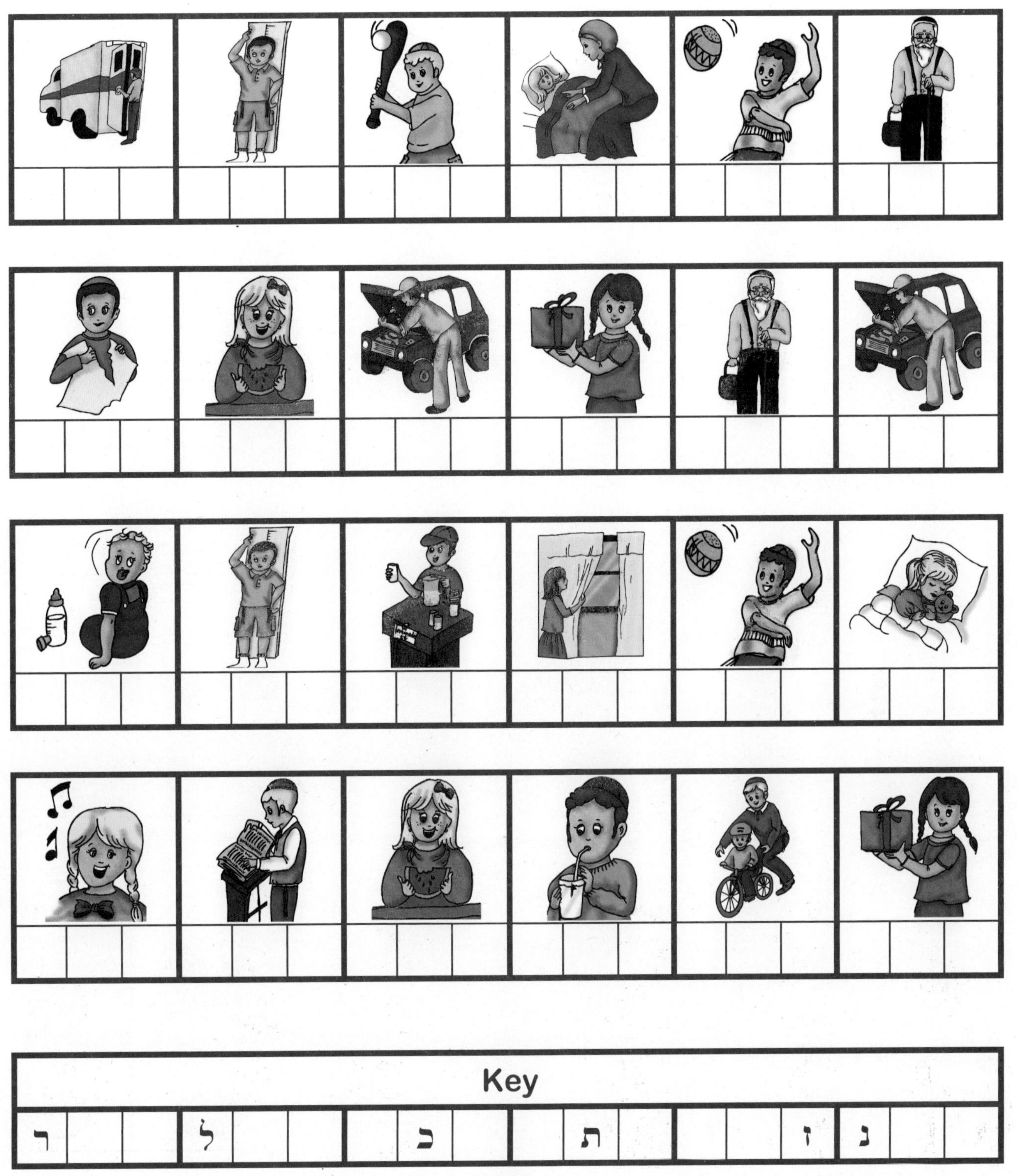

Crossword Puzzle

• Look at the picture clues in the key below to determine how to complete each shoresh. Some of the letters in this puzzle have already been filled in.

Circle and Write

• Circle the shorashim below that include at least one of the following letters. Use the blanks to write the correct answers.

ה	צ	ז

Write:				
___ ___ ___	___ ___ ___	___ ___ ___	___ ___ ___	___ ___ ___

Test Your Knowledge

נתנ	נשק	חטא	זקנ	רמה
מחק	שיר	רצה	עמד	סור
רצה	כעס	ענה	כסה	גדל
שפט	הצל	צעק	אמר	שמר
רפא	הפכ	תקנ	ראה	הפכ
הרג	ירד	עזר	אכל	קשר
למד	לקח	נסע	קרע	ישנ

Test Your Knowledge

אחז	לקח	תקנ	מכר	למד
ישנ	אפה	אכל	ענה	שמע
צחק	זרק	עמד	נשק	חטא
מטר	קצר	הצל	קומ	הכה
נתנ	קרע	זקנ	צוה	נשק
פגש	סגר	שתה	רדפ	יצא
ידע	הכה	מצא	גדל	מטר

Test Your Knowledge

אכל	כעס	ענה	רוצ	אפה
הרג	פתח	רמה	צעק	גדל
ישנ	חסר	ראה	אחז	שקט
שתה	מכר	נסע	ידע	אספ
למד	שפט	פחד	זקנ	שמע
צוה	זרק	כסה	ספר	רחצ
הצל	נתנ	לקח	קרא	תקנ

Shorashim Reference

עלה	מלא	שלח	ילד	נפל

Page 84	Page 83	Page 82	Page 81	Page 80
לחם	הלכ	שאל	גלל	דלק

Page 89	Page 88	Page 87	Page 86	Page 85

Matching

• Match each shoresh on the right to the correct picture and then to the word in which it appears.

יְשָׁנִים	גדל
וַיִּגְדַּל	ישנ
תִּכֵּן	לקח
לְקַחְתִּיךָ	תקנ
בִּנְפֹל	נפל

Manipulation

• Identify the shoresh in the box on the right. To move to the next box, find a shoresh shown in the answer key in which two letters are the same as in the first shoresh. Letters may be in any order. Do the same for the following boxes to complete each row.

Key

Shoresh Find

• Find and circle the letters of each shoresh shown in the shoresh box.

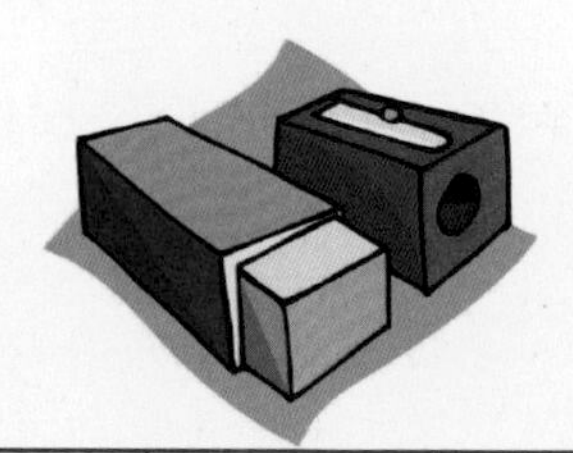

ה	ו	צ	ז	ד	ר	ת
ר	כ	ח	ל	ש	צ	י
ק	ש	א	ע	ס	ה	ה
ס	ג	פ	נ	ב	כ	פ
י	ע	ת	ה	ט	פ	כ
ל	ה	ס	כ	ש	פ	צ
ד	מ	ח	ח	ק	ל	ו

Shoresh Box

Shorukoo

• Fill in the cells containing shorashim with numbers, according to the key below, Now, fill in the empty cells in each column, row and box using all the numbers from 1-9 once, without repeating any numbers.

למד	חטא	נפל		אכל	שיר	שמר		קשר
	שלח		לקח			חטא		
	הצל	גדל	ילד		שלח		רפא	ירד
		ילד		מלא		סור		
שמר								למד
		רפא		גדל		מחק		
אכל	לקח		קשר		ילד	למד	שלח	
		הצל			אמר		אכל	
נפל		שלח	ירד	סור		הצל	מלא	ילד

Key

1	2	3	4	5	6	7	8	9

Scramble

• Identify the shorashim shown in the four pictures below. Now, how many new shorashim can you arrange using these twelve letters? List them below.

Which Shoresh?

• Fill in the letters of the shoresh that identify each picture.

Match up

• Use the key to fill in the shorashim that match the correct symbol.

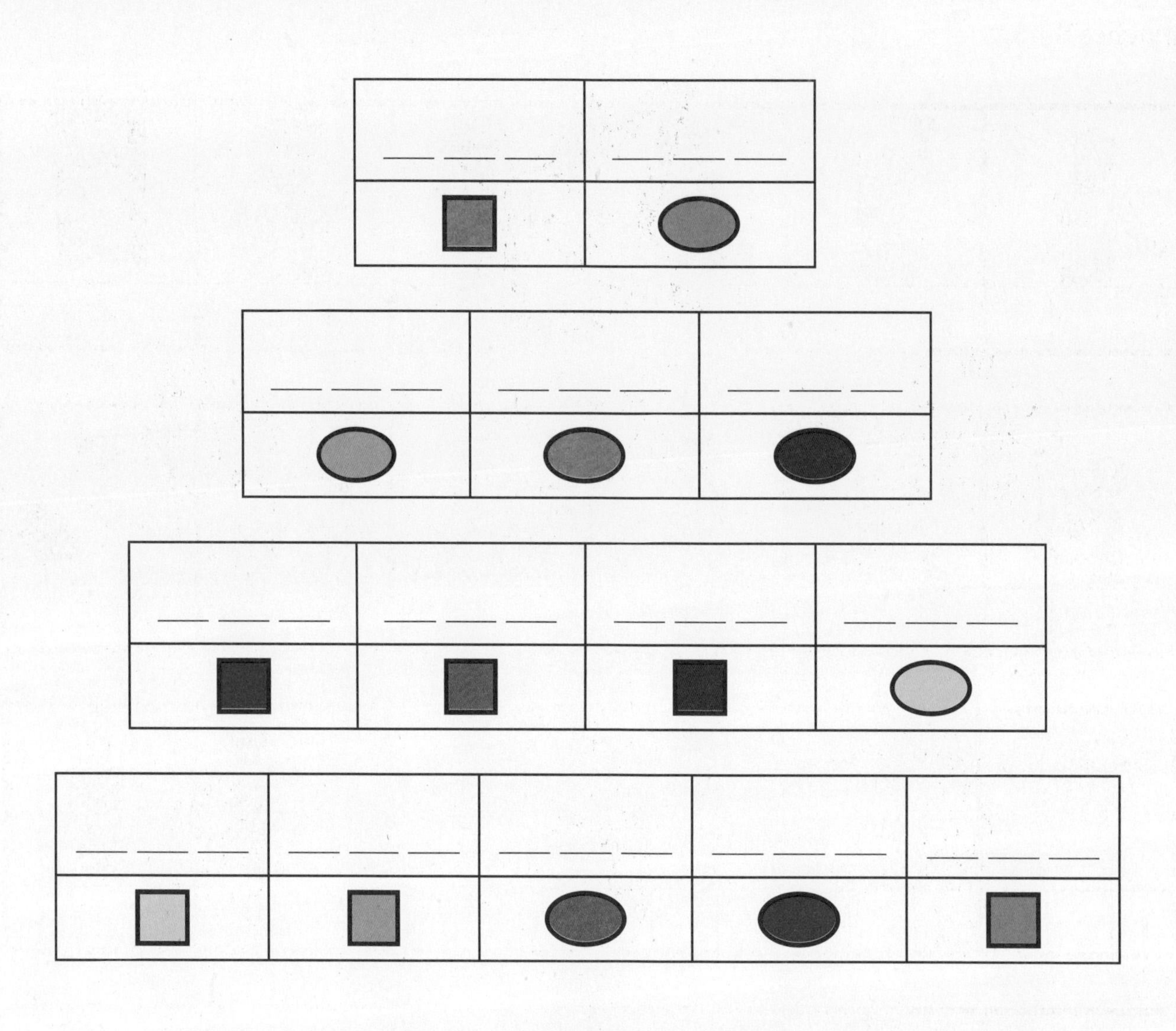

Pattern Matching

• Fill in the letters of the shoresh under each picture. Next, circle the row of pictures that matches the key.

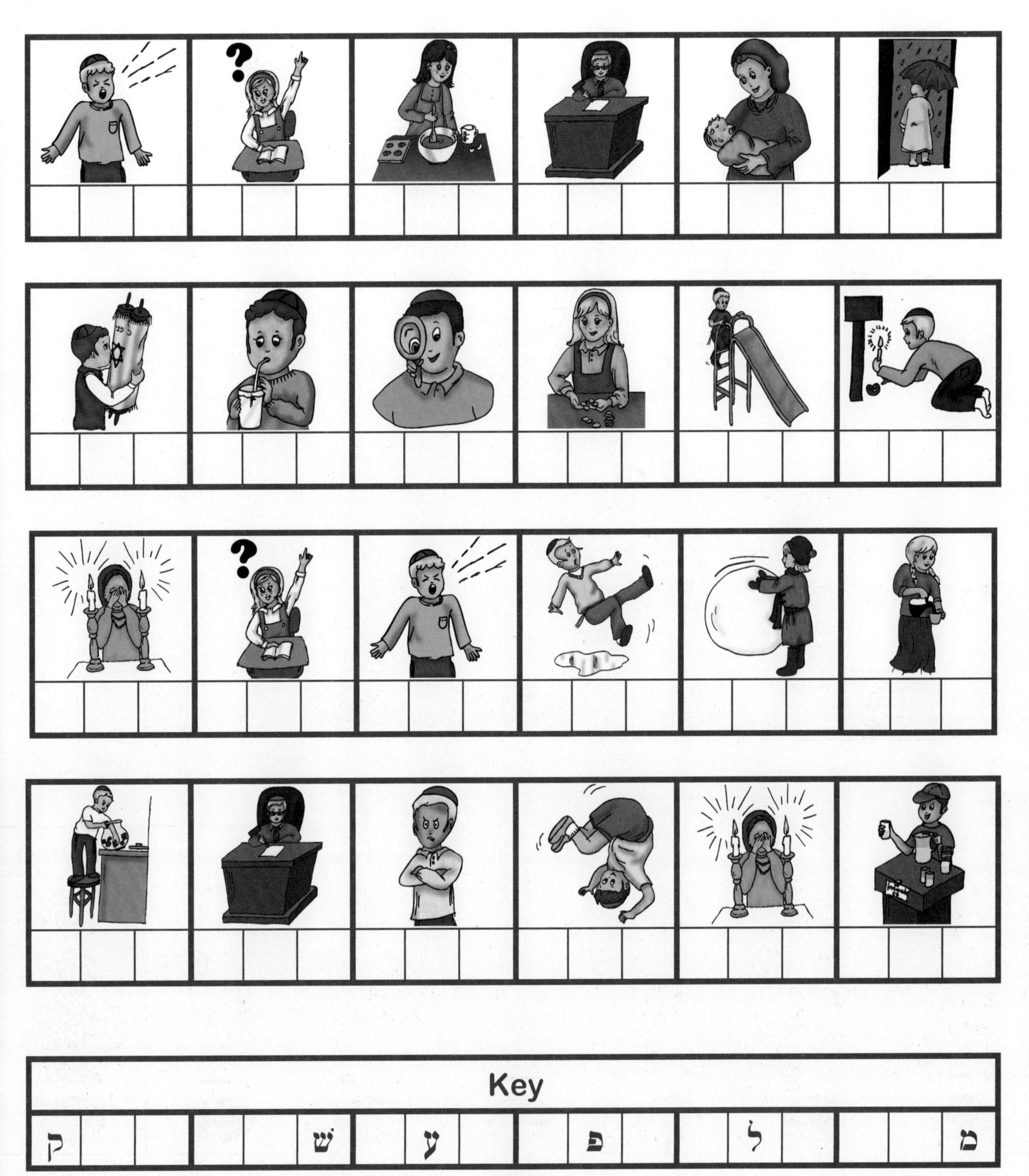

Crossword Puzzle

• Look at the picture clues in the key below to determine how to complete each shoresh. Some of the letters in this puzzle have already been filled in.

Circle and Write

• Circle the shorashim below that include at least one of the following letters. Use the blanks to write the correct answers.

ל	ק	ע

Write:				
___ ___ ___	___ ___ ___	___ ___ ___	___ ___ ___	___ ___ ___

Test Your Knowledge

ילד	ראה	גלל	מלא	למד
אפה	כעס	פתח	ענה	שקט
נשק	ספר	עלה	שפט	דלק
זקן	רחץ	נשק	אסף	פחד
קרא	הצל	נפל	צוה	צעק
שלח	נתן	הכה	זרק	תקן
גדל	הלכ	שאל	לחמ	רוצ

Test Your Knowledge

עלה	לחמ	נפל	הלכ	כסה
נסע	חטא	רצה	ישׁנ	שׁאל
שׁלח	מחק	לקח	שׁיר	עזר
שׁמר	ירד	קשׁר	אכל	רפא
עמד	נתנ	נשׁק	גלל	מלא
דלק	חסר	קרע	אמר	סור
ראה	ענה	ילד	למד	הפכ

Test Your Knowledge

הלכ	דלק	לקח	שלח	גדל
אחז	רמה	רדפ	שמע	שאל
מכר	צחק	הצל	קצר	יצא
ילד	שפט	לחמ	קומ	גלל
מטר	פגש	תקנ	סגר	שתה
מלא	ידע	מצא	הרג	זקנ
עלה	ישנ	אכל	נסע	נפל

Shorashim Reference

ברח	דבר	גבר	מלכ	חלמ

Page 98	Page 97	Page 96	Page 95	Page 94
בוש	חבק	רכב	בשל	בוא

Page 103	Page 102	Page 101	Page 100	Page 99

Matching

• Match each shoresh on the right to the correct picture and then to the word in which it appears.

חָלַמְתִּי	הלכ
גַּלְגַּל	שלח
יַעֲלֶה	גלל
מִשְׁלַחַת	עלה
יִתְהַלָּכוּ	חלמ

Manipulation

• Identify the shoresh in the box on the right. To move to the next box, find a shoresh shown in the answer key in which two letters are the same as in the first shoresh. Letters may be in any order. Do the same for the following boxes to complete each row.

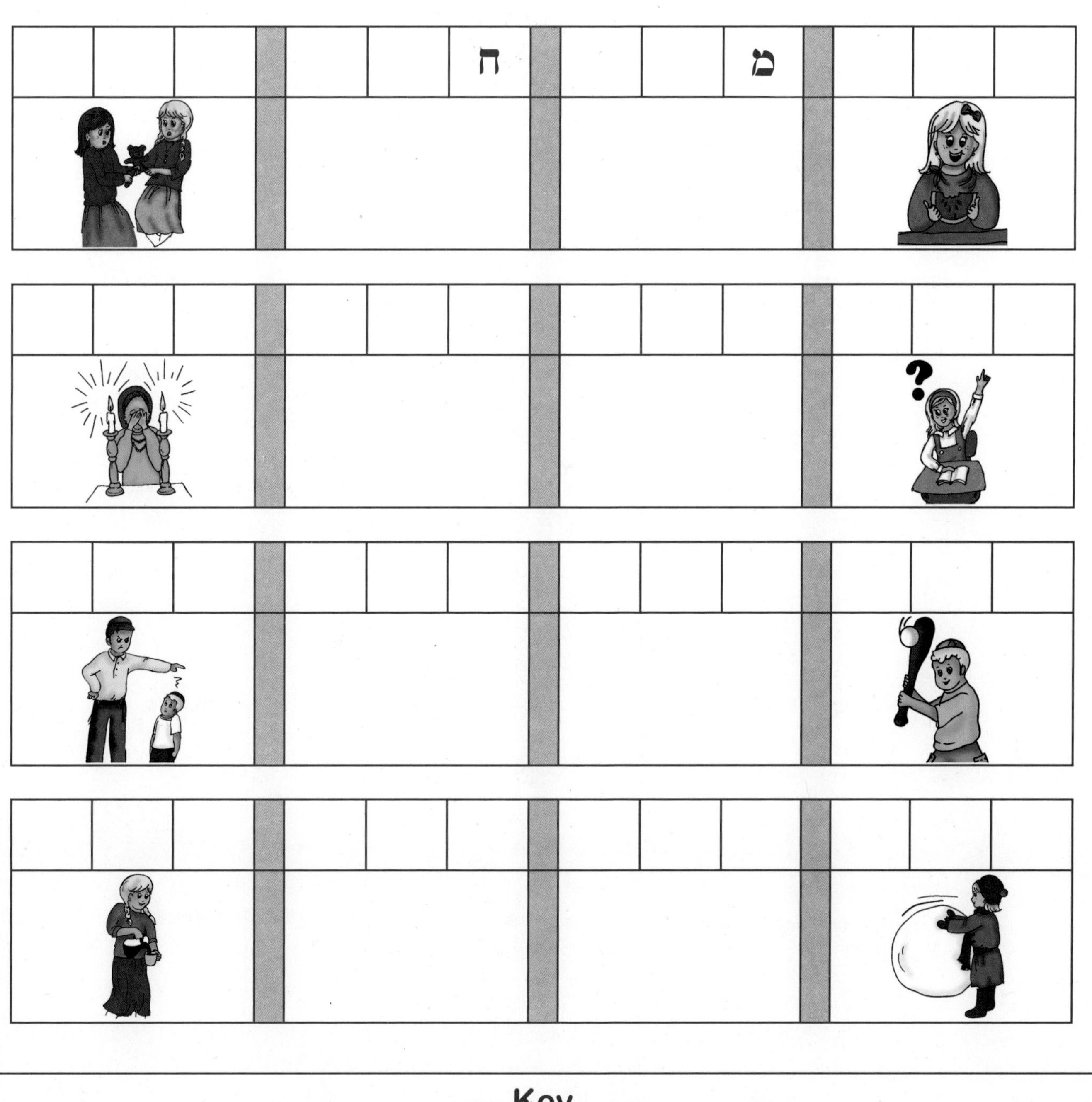

Key

Shoresh Find

• Find and circle the letters of each shoresh shown in the shoresh box.

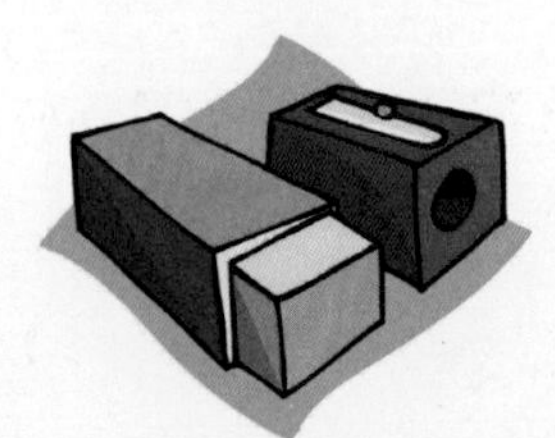

פּ	ג	ב	כ	ל	מ	ח
נ	ל	ד	ס	ט	פּ	ל
ז	ל	ו	בּ	כּ	ל	מ
כ	ל	ה	ג	י	תּ	א
ע	ר	ה	ב	צ	ח	שׁ
ק	שׁ	מ	ר	כ	ת	א
מ	ח	ל	ק	ל	ד	ל

Shoresh Box

Shorukoo

• Fill in the cells containing shorashim with numbers, according to the key below, Now, fill in the empty cells in each column, row and box using all the numbers from 1-9 once, without repeating any numbers.

	לחמ			שאל	מלכ			רוצ
רוצ	פחד	דבר			גלל			ספר
		אספ		חלמ				הלכ
פתח	רחצ	הלכ	קרא	גלל			לחמ	מלכ
ספר		מלכ				שאל		שקט
שאל	גלל			מלכ	דבר	חסר	חלמ	גבר
רחצ				אספ		לחמ		
גבר			שקט			מלכ	דלק	פתח
מלכ			הלכ	דבר			גבר	

Key								
1	2	3	4	5	6	7	8	9

Scramble

• Identify the shorashim shown in the four pictures below. Now, how many new shorashim can you arrange using these twelve letters? List them below.

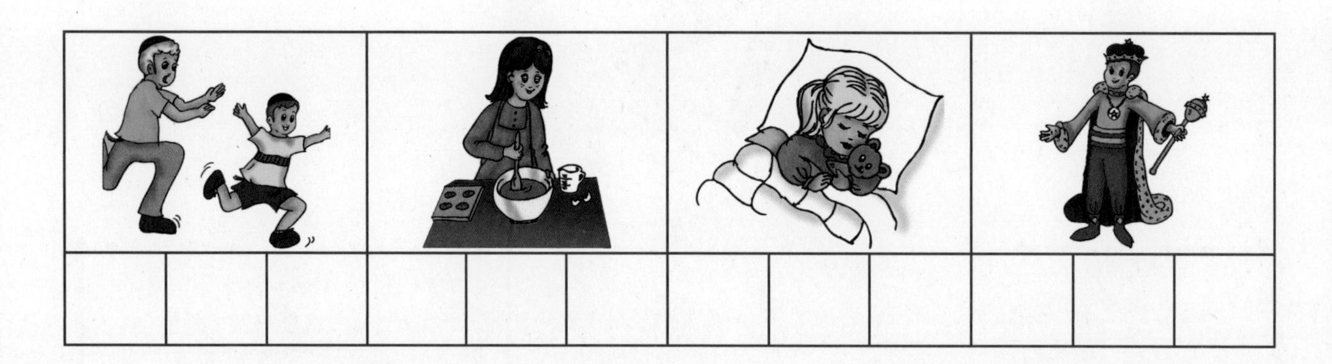

Which Shoresh?

• Fill in the letters of the shoresh that identify each picture.

Match up

• Use the key to fill in the shorashim that match the correct symbol.

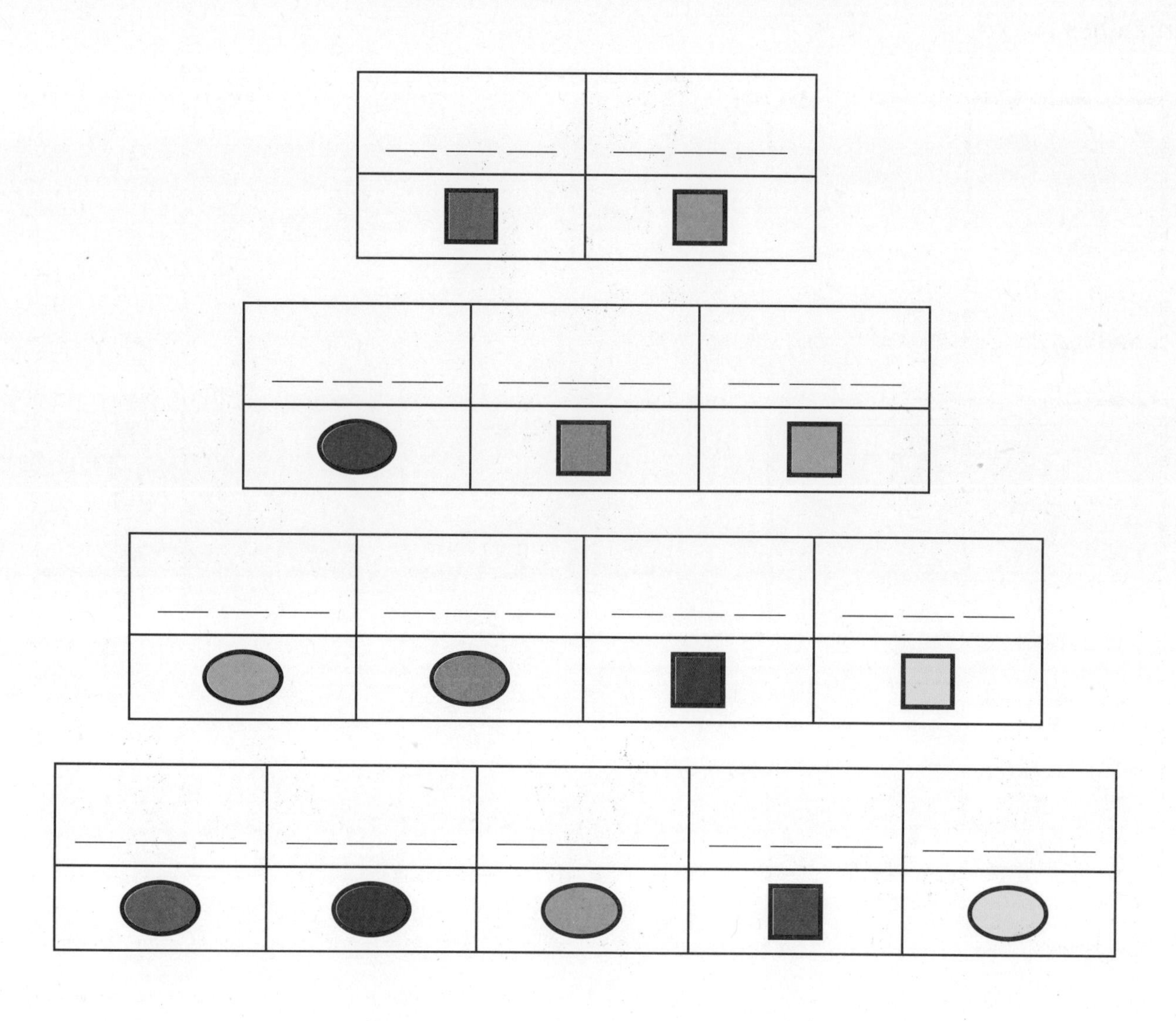

Pattern Matching

• Fill in the letters of the shoresh under each picture. Next, circle the row of pictures that matches the key.

Key

	ש		ל				כ			ו			ב				ב

Crossword Puzzle

• Look at the picture clues in the key below to determine how to complete each shoresh. Some of the letters in this puzzle have already been filled in.

Across	Down

Circle and Write

• Circle the shorashim below that include at least one of the following letters. Use the blanks to write the correct answers.

כ	ו	ב

Write:				
___ ___ ___	___ ___ ___	___ ___ ___	___ ___ ___	___ ___ ___

Test Your Knowledge

מלכ	עמד	ראה	חבק	כסה
הלכ	ספר	קצר	נפל	קרע
בוש	תקנ	חלמ	ענה	אכל
גלל	רחצ	הצל	גבר	רצה
בוא	עלה	ילד	זקנ	שׁאל
צחק	סור	מצא	חטא	בּשל
ברח	עזר	דבר	רכב	הפּכ

Test Your Knowledge

מלא	מלכ	ידע	רכב	אחז
בשׁל	קומ	אמר	לחמ	שׁמע
דבר	למד	ברח	ישׁנ	שׁתה
אספ	דלק	שׁלח	מכר	בושׁ
רמה	שׁמר	חבק	לקח	פתח
ירד	הלכ	גבר	מטר	ילד
בוא	קרא	חלמ	נסע	הרג

Test Your Knowledge

בשל	שאל	שקט	חלמ	חבק
רפא	גדל	ברח	שפט	גלל
בוא	צוה	הכה	מחק	נפל
סגר	עלה	נשק	פגש	מלכ
קשר	נתנ	צעק	זרק	רוצ
דבר	לחמ	רדפ	אפה	רכב
דלק	גבר	מלא	בוש	כעס

Shorashim Key

עזב	ישב	בחר	בכה	אהב
Page 112	Page 111	Page 110	Page 109	Page 108
לבש	סבב	עבד	חשב	כתב
Page 117	Page 116	Page 115	Page 114	Page 113

Matching

• Match each shoresh on the right to the correct picture and then to the word in which it appears.

מִגִּבֹּרֵי	 חבק
וּתְחַבֵּק	 ברח
בָּשַׁל	 גבר
בְּאַהֲבָתוֹ	 אהב
וַיִּבְרְחוּ	 בשׁל

Manipulation

• Identify the shoresh in the box on the right. To move to the next box, find a shoresh shown in the answer key in which two letters are the same as in the first shoresh. Letters may be in any order. Do the same for the following boxes to complete each row.

Shoresh Find

• Find and circle the letters of each shoresh shown in the shoresh box.

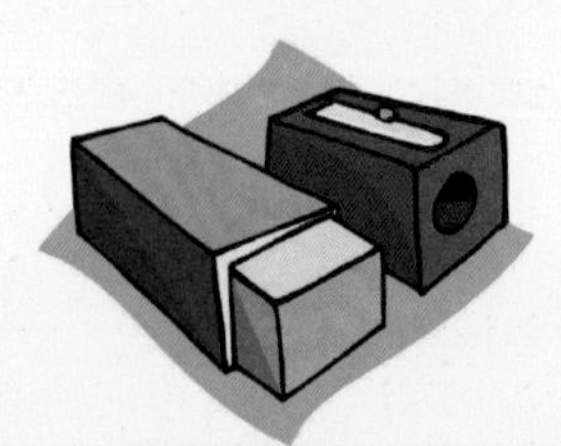

מ	ז	א	ס	ב	כ	ר
פּ	ק	ב	פ	י	ד	ו
כ	תּ	שׁ	שׁ	ו	ב	ח
ב	ר	ל	ג	ת	ט	ב
ו	כּ	ע	בּ	פּ	צ	כ
א	ר	ח	ב	ע	נ	ה
ב	ה	א	ל	ק	ב	ח

Shoresh Box

Shorukoo

• Fill in the cells containing shorashim with numbers, according to the key below, Now, fill in the empty cells in each column, row and box using all the numbers from 1-9 once, without repeating any numbers.

			בוש	בשל				קרע
בוא	בחר	חבק				בוש	בכה	בשל
שפט		בוש	עמד	זרק				בחר
ידע		שתה			עמד	בוא		שמע
	שמע						שפט	
רכב		בכה	בשל			שתה		בוש
ישב				בחר	שמע	בשל		זרק
בחר	בוש	בוא				חבק	אהב	רכב
אהב				הפכ	ידע			

Key

1	2	3	4	5	6	7	8	9

Scramble

• Identify the shorashim shown in the four pictures below. Now, how many new shorashim can you arrange using these twelve letters? List them below.

Which Shoresh?

• Fill in the letters of the shoresh that identify each picture.

Match up

• Use the key to fill in the shorashim that match the correct symbol.

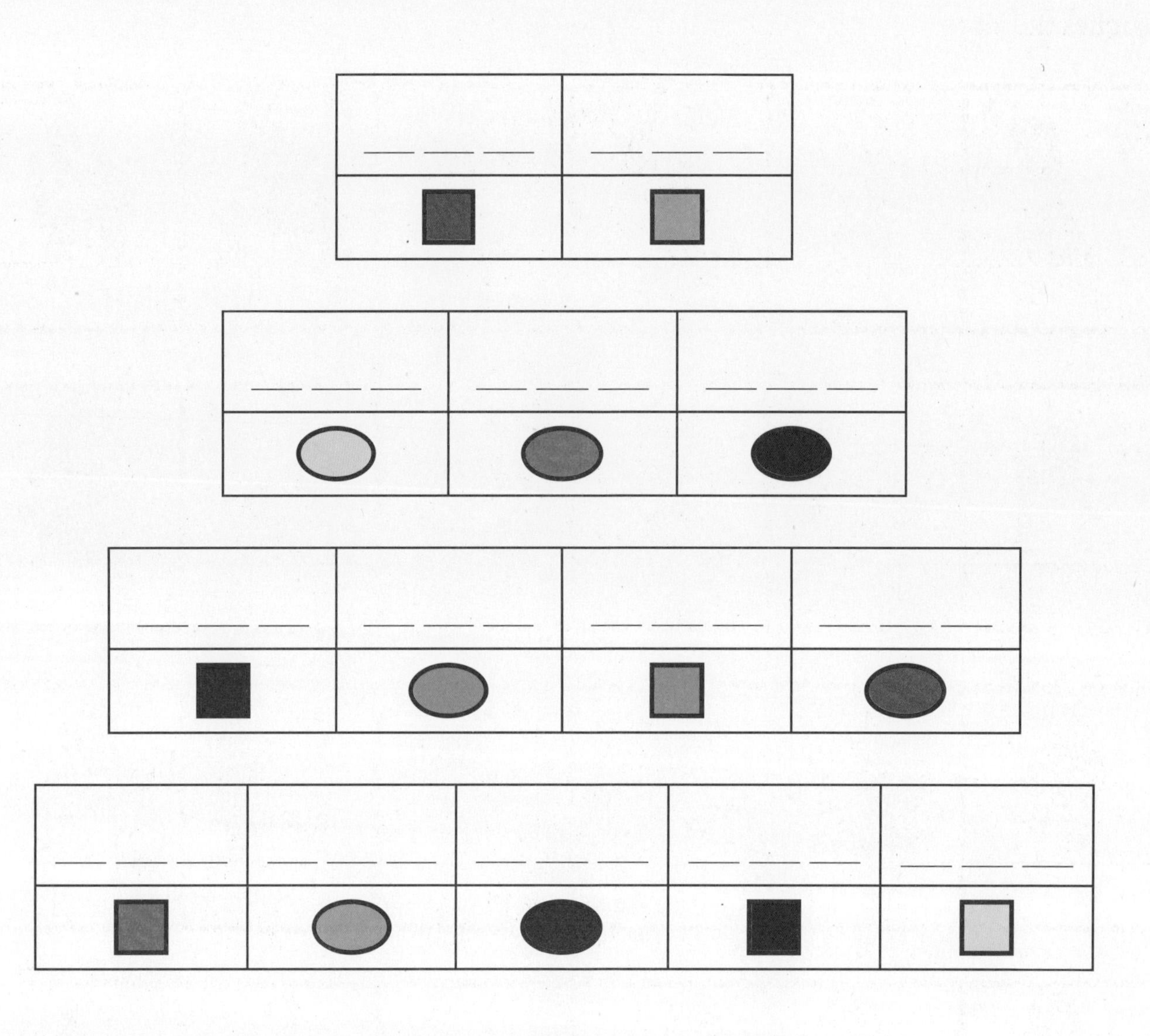

Key

Pattern Matching

• Fill in the letters of the shoresh under each picture. Next, circle the row of pictures that matches the key.

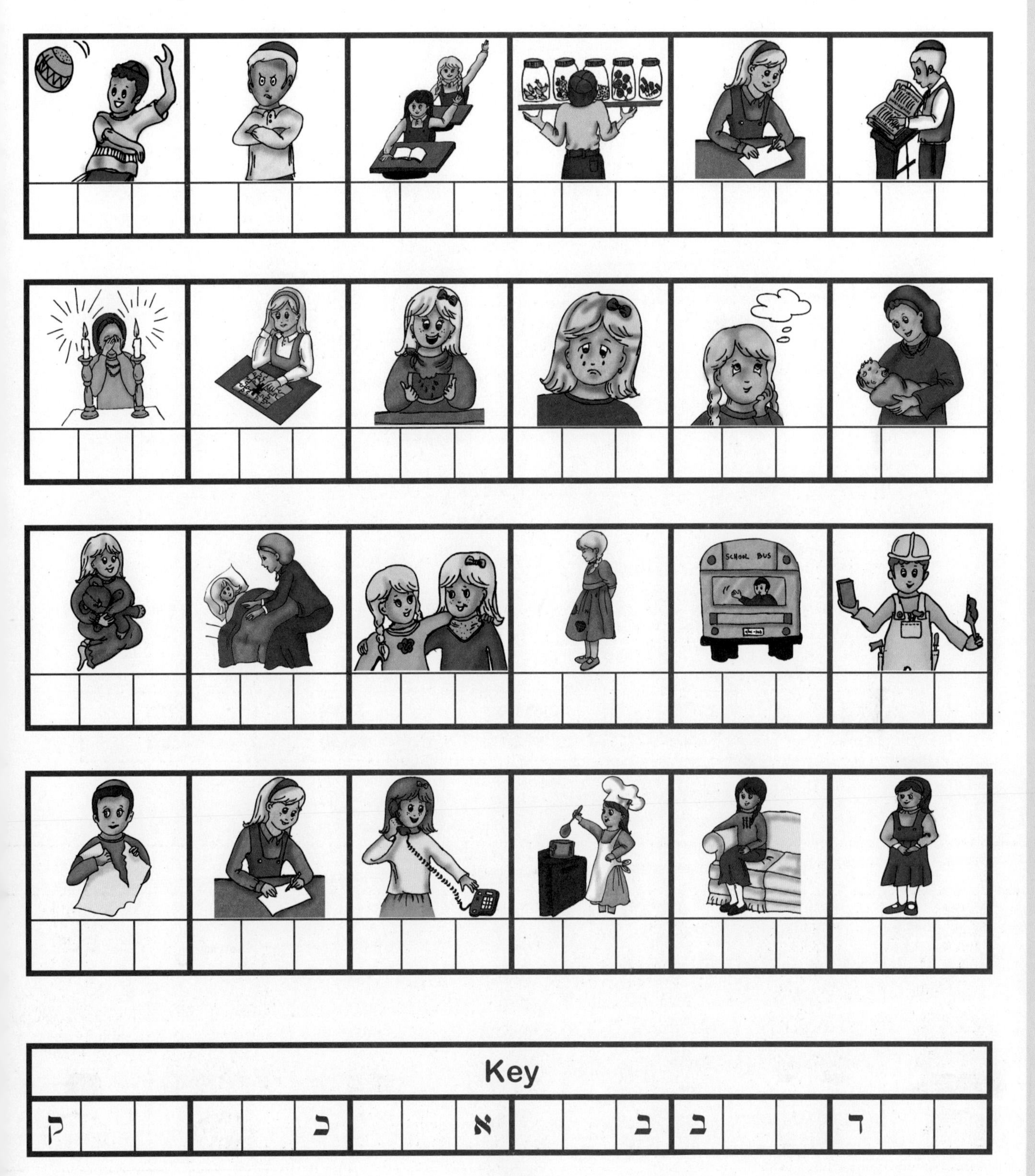

Key																	
ק					כ			א			ב	ב			ד		

Crossword Puzzle

• Look at the picture clues in the key below to determine how to complete each shoresh. Some of the letters in this puzzle have already been filled in.

Circle and Write

• Circle the shorashim below that include at least one of the following letters. Use the blanks to write the correct answers.

פ	י	ד

Write:				
___ ___ ___	___ ___ ___	___ ___ ___	___ ___ ___	___ ___ ___

Test Your Knowledge

לבש	בכה	ילד	לחמ	מלא
מלכ	רכב	אחז	בכה	בוא
עבד	לקח	אהב	שאל	הפכ
ראה	סבב	חבק	נפל	ברח
עזב	שלח	דלק	הלכ	בחר
ישנ	נשק	כתב	הצל	רמה
ישב	דבר	נתנ	חשב	בוש

Test Your Knowledge

נפל	אהב	חלמ	רצה	דלק
כתב	גדל	ישב	זקנ	מכר
כעס	לחמ	זרק	חשב	צוה
קרע	בכה	מלכ	עבד	שאל
בחר	גבר	בוא	עזב	ידע
הרג	בכה	עלה	דבר	בשל
לבש	אכל	סבב	גלל	שלח

Test Your Knowledge

חלם	גבר	סבב	שמע	בכה
גלל	עזב	עלה	ענה	כתב
פחד	בוש	לבש	בשל	עמד
חשב	אפה	שתה	מלא	בחר
הכה	ילד	חבק	עבד	תקן
הלכ	למד	כסה	ישב	צעק
עזר	אהב	רכב	נסע	ברח

Shorashim Key

שכב	עבר	בנה	שאב	שבר

Page 126	Page 125	Page 124	Page 123	Page 122
שים	עשה	שמח	נשא	ברכ

Page 131	Page 130	Page 129	Page 128	Page 127

Matching

• Match each shoresh on the right to the correct picture and then to the word in which it appears.

סְבָבוּנִי	חשב
שָׁבַרְתִּי	בחר
תַּחְשְׁבוּ	סבב
וַיִּבְחַר	עזב
וַיַּעַזְבוּ	שׁבר

Manipulation

• Identify the shoresh in the box on the right. To move to the next box, find a shoresh shown in the answer key in which two letters are the same as in the first shoresh. Letters may be in any order. Do the same for the following boxes to complete each row.

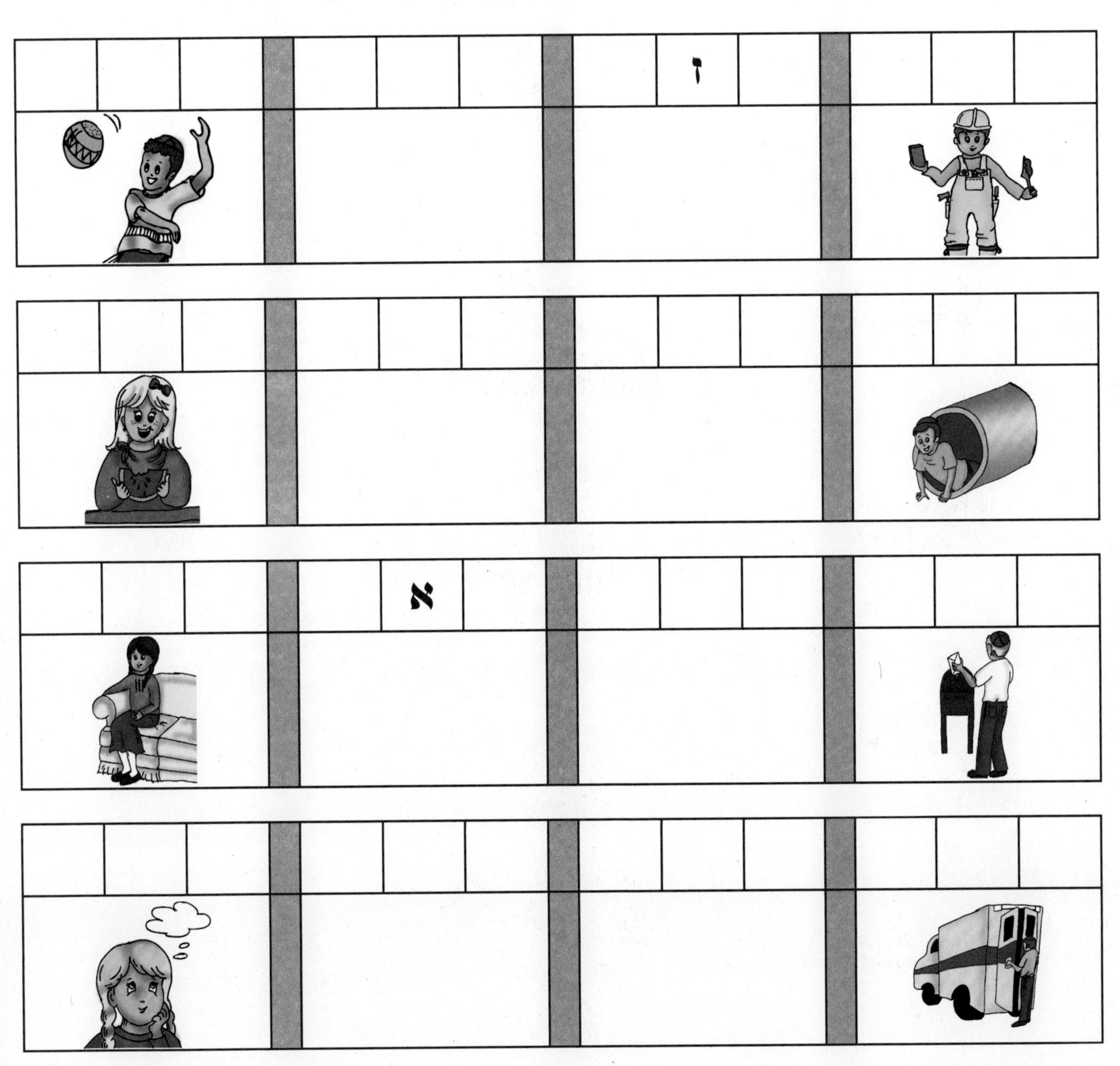

Key

Shoresh Find

• Find and circle the letters of each shoresh shown in the shoresh box.

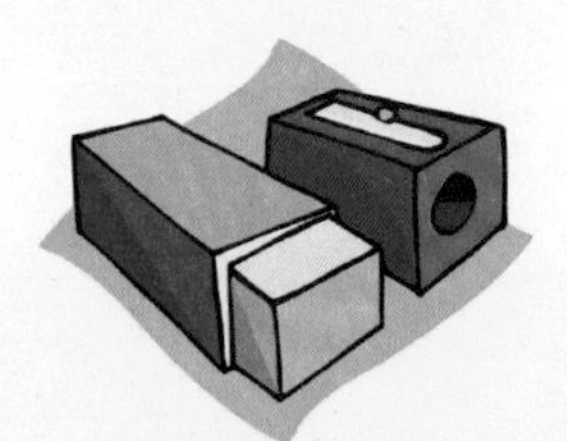

ב	שׁ	ח	ע	ב	ת	כ
ל	ה	נ	ב	ב	מ	ח
ב	פּ	ג	ד	ת	תּ	ס
שׁ	ל	ד	ק	י	צ	ב
ה	י	ב	א	שׁ	ג	ב
ד	ג	ע	ס	ב	כּ	בּ
נ	ר	פ	ט	ר	ז	ע

Shoresh Box

Shorukoo

• Fill in the cells containing shorashim with numbers, according to the key below, Now, fill in the empty cells in each column, row and box using all the numbers from 1-9 once, without repeating any numbers.

	אפה				עבר			
		עבר	צעק				אפה	עבד
רמה	לבש	בנה	חשב		אפה		שבר	רצה
שבר		צעק		עבד				הכה
	כתב		שאב		כעס		סבב	
הכה				עבר		עבד		אחז
רצה	רמה		בנה		מכר	חשב	כתב	שאב
כתב	סבב				עזר	בנה		
			אחז				רצה	

Scramble

• Identify the shorashim shown in the four pictures below. Now, how many new shorashim can you arrange using these twelve letters? List them below.

Which Shoresh?

• Fill in the letters of the shoresh that identify each picture.

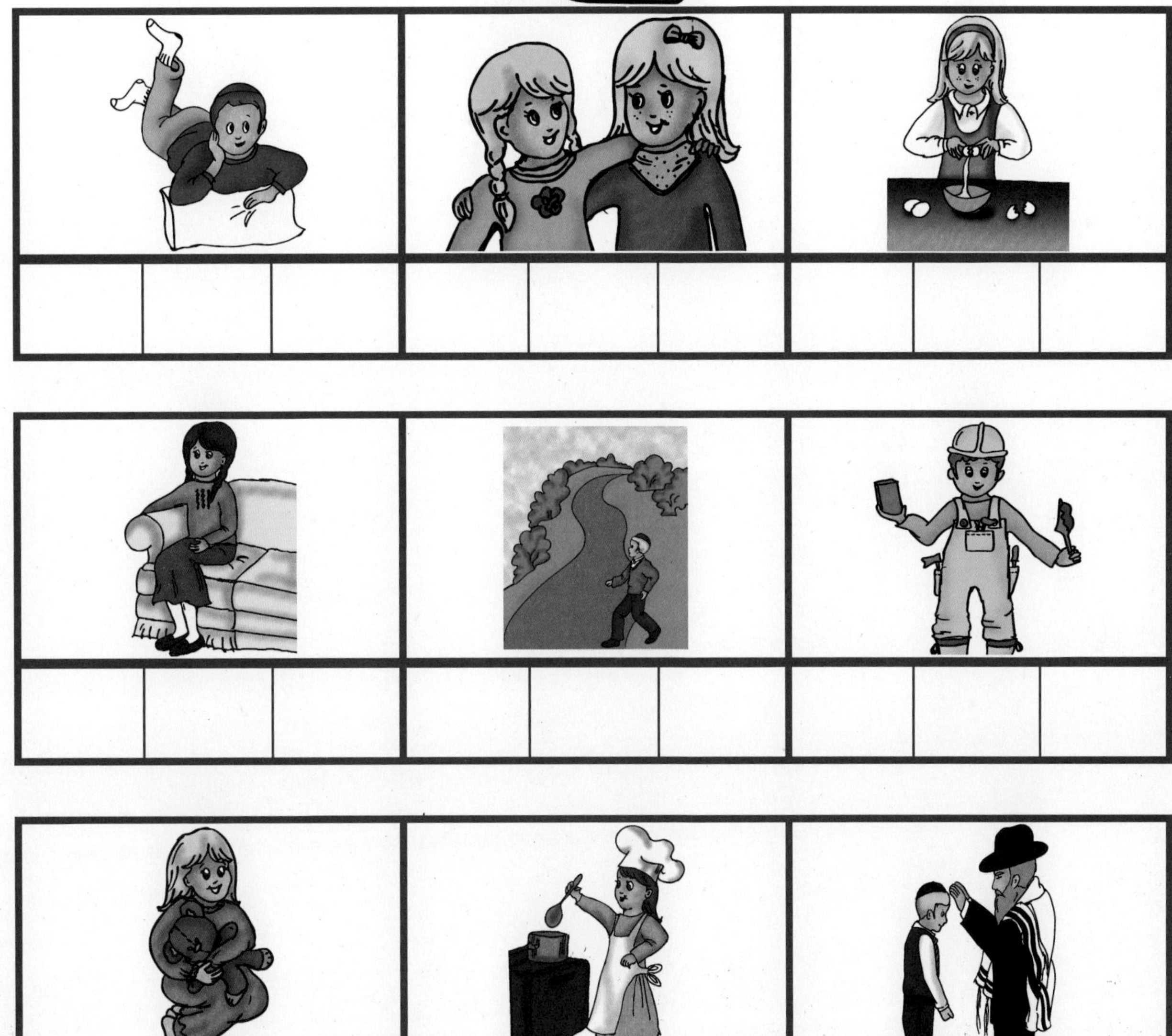

Match up

• Use the key to fill in the shorashim that match the correct symbol.

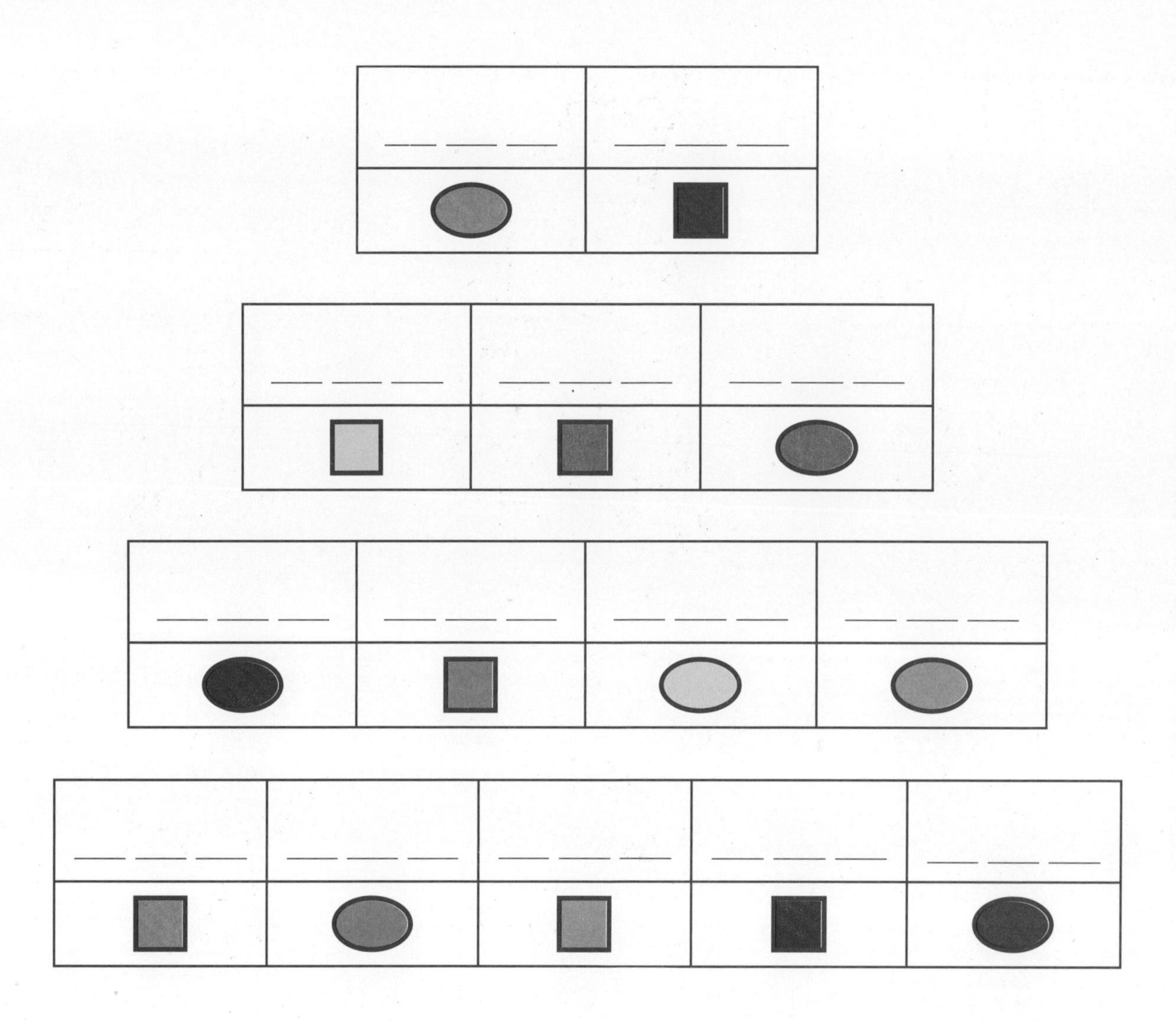

Pattern Matching

• Fill in the letters of the shoresh under each picture. Next, circle the row of pictures that matches the key.

Crossword Puzzle

• Look at the picture clues in the key below to determine how to complete each shoresh. Some of the letters in this puzzle have already been filled in.

Circle and Write

• Circle the shorashim below that include at least one of the following letters. Use the blanks to write the correct answers.

ג	שׁ	ר

Write:

___ ___ ___	___ ___ ___	___ ___ ___	___ ___ ___	___ ___ ___

חזק חזק חזק!

חסר	סגר	שיר	ספר	פגש
שמר	רחץ	רדף	ירד	פחד
יצא	אמר	אסף	מצא	רפא
פתח	צחק	מחק	קרא	קצר
קשר	רוץ	קום	סור	שקט
מטר	חטא	שפט	מכר	עמד
כעס	שמע	קרע	צעק	ידע
עזר	זרק	אחז	הפכ	אפה
שתה	רצה	צוה	רמה	כסה
הכה	הרג	ראה	נשק	נסע
ענה	זקנ	ישנ	נתנ	תקנ
למד	גדל	אכל	לקח	הצל
נפל	ילד	שלח	מלא	עלה
דלק	גלל	שאל	הלכ	לחמ
חלמ	מלכ	גבר	דבר	ברח
בוא	בשל	רכב	חבק	בוש
אהב	בכה	בחר	ישב	עזב
כתב	חשב	עבד	סבב	לבש
שבר	שאב	בנה	עבר	שכב
ברכ	נשא	שמח	עשה	שימ

Phase One

תּ	י	ס	ח	ג	ר	שׁ	בּ
	שׁיר	חסר					
		סגר					

Phase Two

	א	ד	כּ	צ	מ	פּ	
	יצא	רדף		רחץ	שׁמר	ספר	
	אמר	ירד				פגשׁ	
	אסף	פחד					
	מצא						
	רפא						

Phase Three

	ע	כ	ט	ו	ק	ת	
	עמד	מכר	שׁקט	רוץ	צחק	פּתח	
	כעס		מטר	קום	מחק		
	שׁמע		חטא	סור	קרא		
	קרע		שׁפט		קצר		
	צעק				קשׁר		
	ידע						

KriahMaster™

SEQUENCE CARD *(continued)*

Phase Four							
שׂ	ב		ל	נ	ה	ז	פּ
נשא	לבש	גבר	למד	נשק	הפכ	עזר	
שמח	שבר	דבר	גדל	נסע	אפה	זרק	
עשה	שאב	ברח	אכל	ענה	שתה	אחז	
שים	בנה	בוא	לקח	זקנ	רצה		
	עבר	בשל	הצל	ישנ	צוה		
	שכב	רכב	נפל	נתנ	רמה		
	ברכ	חבק	ילד	תקנ	כסה		
		בוש	שלח		הכה		
		אהב	מלא		הרג		
		בכה	עלה		ראה		
		בחר	דלק				
		ישב	גלל				
		עזב	שאל				
		כתב	הלכ				
		חשב	לחם				
		עבד	חלם				
		סבב	מלכ				